伍百年 著
方滿錦 編註

逸廬詩詞文集鈔註釋

第壹冊

癸卯年槐月

萬卷樓刊本

▲伍百年先生（1896-1974）

伍百年先生小傳

伍百年（一八九六～一九七四），廣東新會人，出身書香世家，少聰慧，嘗師事大儒梁啓超先生，廣東法政專門學堂畢業，早年在國內從律、從政，一九四九年後在香港懸壺濟世，著有《芝蘭室隨筆》、《客途秋恨》、《逸廬吟草》、《逸廬文存》、《内分泌與糖尿病》、《傷寒擷微》、《國醫診斷學集成》、《新法治療學》、《中國醫方彙編》、《驗方便覽》等書。

逸廬文存自序

稽古結繩以治，性渾樸而智未開，迄今變夏用夷，文矜新而質愈薄，其始也雖簡賡颺，盛世之元音，其末也則頹，終昧先王之大道，故孔子刪書，端在唐虞，陸生文賦，首稱墳典，溯十四朝之正統，代有英髦，誦十三經之遺篇，心儀聖哲，文以載道，思以啟人，經緯天地謂之文，慮深通敏謂之思，故書曰「文思安安」，蓋謂安天下之所當安也，文勝於質則浮誇，質勝於文則鄙野，故語曰「文質彬彬」，蓋謂文質參半之為君子也，因文化之興替，測世運之隆汙，中外古今，不磨斯義，余自髫齡治學，壯歲宦

▲伍百年先生墨寶：《逸廬文存》〈自序〉，頁一

遊涉經史之皮毛、時慚腹儉、踏雲山於足下、常覺神怡、拔劍狂嗟、撫琴默惕、屢遭離亂、發為憂國之辭、百劫餘生、輒灑傷時之淚、才非倚馬、到處留鴻、學等屠龍、依然屈蠖、浮沉塵海、寥落名山、奮十舍之程、材同策駑、窮三餘之晷、技祇雕蟲、雖嘗佐幕府於元戎、未嫻軍旅、貢芻蕘於當軸、莫裨時艱、縱志欲濟乎蒼生、而澤未及於赤子、撫躬循省、慚疚殊常、令也潛龍在田、老驥伏櫪、檢盈篋之斷簡、半飫蠹魚、問故宅之藏書、都付劫灰、子弟蒐其燼餘、朋儕彙其近藁、促余付梓、以葆其真、余曰、文章何價、誰能定評、昔劉歆

▲伍百年先生墨寶：《逸廬文存》〈自序〉，頁二

謂揚雄太玄之篇，將以覆瓿，陸機謂左思三都之賦
合作蓋甕，而桓譚則譽為絕倫，張華則因以紙貴，此
豈淄澠之味殊，而嗜痂之癖異歟，抑彼鴻儒碩學，名
宦經師，如康成之宏文，通人不取，以溫公之健筆，駢
儷不諧，永叔之才質空疏，王筠表述，東坡之學僅揣
摩，夫之史評，益知經世之雄才，與文辭之絕藝，或未
可得而兼擅也，余既無潘安仁之文彩，司馬光之經
綸，陸士衡之詞賦，陶靖節之高逸，揚雄左思鄭玄之
蘊藉，韓愈李白杜甫之才華，奚敢作藏山傳人之想
而視同吉光片羽之珍耶，友曰不然，以吾子治今古於

▲伍百年先生墨寶：《逸廬文存》〈自序〉，頁三

一爐，負道義於兩肩，縱未克振其木鐸，又何必緘若金人乎，出其緒餘，教其子弟，存其國粹，不其善歟，余無以難之，既愜於理而不忍拂其情，遂付以文而有以塞其望，更為之序。逸廬主人伍百年識

▲伍百年先生墨寶：《逸廬文存》〈自序〉，頁四

逸盧詩詞文集鈔註釋 總目錄

總目錄

第貳冊　逸廬吟草　上

伍百年 著　方滿錦 編註

第參冊　逸廬吟草　下

伍百年 著　方滿錦 編註

總目錄

總目錄

七言排律

總目錄

散曲

輓聯

聯語……三七五

推薦序一

狄寶心

香港學者方滿錦博士編註《逸廬詩詞文集鈔註釋》，書成付梓前托我作序。我們在上世紀九十年代就因元好問研究結緣，交誼深厚。他在這一領域有《元好問〈論詩三十首〉研究》、《元好問之名節研究》等著作，歷屆年會，安排發言，其粵語腔調、港人思維，總是能給人以耳目一新之感。今至交重托，我不可因才疏學淺推辭。

從方處獲悉，伍百年（一八九六～一九七四）先生係伍子胥後裔，師從梁啓超，受民國政府主席譚延闓、教育部長章士釗等知重，我好奇浸淫家學師承的伍先生，在那災難深重的戰亂時代，是如何看待社會、安頓心靈的，粗讀其詩詞，便爲其國士情懷所震撼折服！

伍老身處民國以來之亂世，其詩秉承杜甫詩史理念，特別是面對日寇強勢入侵、將士壯烈犧牲、京都淪陷、國人被屠、難民無助、哀鴻遍野的深重災難，宣示要像少陵嫡派元好問那樣「金元實錄詩存史，風起文光薄斗牛」（〈羊石浩劫省寓藏書都成灰燼詩以哀之〉），將重大時事屢屢訴諸筆端。如〈挽師長趙登禹〉、〈勉守四行倉庫諸將士二首〉、〈哀金陵二首〉、〈陷廣州〉，一看題目便知，這是反映七・七盧溝橋事變、八・一三上海保衛戰、十二月南京淪陷、次年廣州淪陷之事的。

「擾擾干戈動，悠悠歲月長。生靈無量數，遺骨滿沙場」（〈哀中日戰禍〉）、「強敵憑陵奮請纓，拚將血肉作長城。可憐閨裏征人婦，猶向軍衙問死生」（〈悼敵前殉難將士及哀其遺婦〉），讀此血染沙場之作，令人極易聯想到「起來，不願做奴隸的人們，把我們的血肉，築成我們新的長城」之〈國歌〉及「誓掃匈奴不顧身，五千貂錦喪胡塵。可憐無定河邊骨，猶是春閨夢裏人」（唐陳陶〈隴西行〉）之詩篇。對此禍亂，最使先生痛心疾首的是淪陷區人民：「彈燬蘇徐又廣州，空防如此口悠悠。青山綠野遺紅粉，黑水黃河變赤流。回首京華同歷劫，傷心國難幾時休。相逢灑盡新亭淚，縱酒難消萬古愁。」（〈傷心浩劫遍神州〉）；「豪門先遁失名城，異己三軍一夜傾。卅萬孑遺任屠戮，沙蟲猿鶴苦生靈。」（〈南京屠城〉）；「玄武湖邊啼鳥哭，紫金山上野狐鳴。龍蟠氣象徒資敵，人化沙蟲未息兵。」（〈哀金陵〉）直錄南京大屠殺，描述血雨腥風四處蔓延的恐怖景象。

「鐵鳥蔽空來，彈落如雨屑，毀室九仟間，榱崩柱又折，羅難三萬人，肢殘命更絕。血滿五羊城，骨聚千堆雪。覆巢變山坵，陷處成窟穴。大道不通行，薄棺紛陳列。死者永冤沉，生者痛離別。傷者徒呻吟，醫者救難徹。四野腥氣熏，午夜悲慘冽。」（〈敵機轟炸羊城感賦〉）具體記載了廣州百姓在日寇無差別狂轟濫炸下的死傷情形。「可憐遺孑難飛遁，宰割由人沒奈何」（〈哀廣州遺民〉）；「敗瓦通衢殘骸在，腥風處處骨成丘」（〈亂離行〉）；「轟傳強敵襲危城，奪路狂奔雜哭聲。祖業家園從此別，倉皇四散亂離情」；「離家憔悴走他方，舉目蕭條自悚惶。顧得衣時更顧食，長安不易居停藏」（〈避亂〉）。

先生不僅從第三者的角度記錄了一幕幕悲悼淪陷區人民的死生情態，而且從第一人稱的角度，感同身受逃難者的悲酸，成爲人民的代言人：

亂離倍苦日悠悠，行止兩難不自由。離家蹙同喪家犬，亂困酷似楚人囚。富者憂掠貧者餓，惡人強暴閭人愁。市廛衰落米珠貴，啼飢號寒鬧不休。……命生不辰逢劫運，堪傷人命等蜉蝣。（〈亂離行〉）

行人相顧皆失色，武士軍前聞殉國。退兵盡燬車與橋，縱有川資行不得！矧又逃生剩一身，關山僕僕歷風塵。奔馳十日未果腹，路上相逢不像人。倉皇歸鄉恰天曙，家人避亂走他處，遍詢鄰右闃無人，憊軀斜倚門前樹。（〈難民曲〉）

官封舟車據私用，百姓何處得扁舟。蟻聚隄邊朝復暮，陡見船來爭先附。強者衝鋒捷足登，弱者被擠難舉步。兒啼婦哭聲震天，或溺於水死於路。或賂舟子登船旁，僥倖得之如慈航。寧計破鈔與失物，苟全性命冀還鄉。中流回首紅羊劫，劫火沖霄痛斷腸。可憐家業成灰燼，留此殘生，後顧更茫茫。（〈陷廣州〉）

詩人選擇典型事件場景，用全形敘事與限角敘事互動互補的筆法，由個別反映一般，深刻揭示出難民的悽慘心態，這一災難時代心聲的錄音是任何史書都不能替代的。

基此，先生特別痛恨入侵者，「烽火連天掩穗城，蓬門大廈一時傾。人禽木石悲同盡，猿鶴沙蟲劫未平。梟獍爲心夷狄毒，瘡痍滿目鬼惶驚」（〈敵機轟炸羊城感賦〉），把日寇比作食母食父的「梟獍」，斥責其狂轟濫炸，無視國際公約不分官民慘無人道的野蠻暴行，正告其多行不義必自斃：「君不見威廉之二世，窮兵失國走天涯。又不見法之拿破崙，稱雄踏破歐羅巴。卒阨於俄遭慘敗，五洲雖大難爲家。須知謙者方

受益，驕貪必敗奚足誇。勿謂天下莫予毒，或者天命在中華。」（〈木屐兒歌・紀念八一三〉）

他對當局的誤國不作爲行徑也敢於指斥：

十月念一陷廣州，九天撤兵疾如流。數十萬人立疏散，烽煙四起散無由。難民窘極怨載道，咸怨當局怯無謀。辱沒革命策源地，賤視遺子同馬牛。（〈陷廣州〉）

木屐來時魔鬼現，鐵蹄踏處血痕新。黃魂未死仇終雪，誤盡蒼生爲睦鄰。（〈感時〉）

特別是賤視民命盡喪民心方面，如一九三八年六月日軍侵占開封，最高決策者下令炸開鄭州北花園口之黃河南岸大堤，致使豫東、皖北、蘇北千里沃野變爲荒無人煙的黃泛區，伍老聞此爲保軍而失民的不齒之舉予以痛斥：

皓魄重圓照九洲，金甌尚缺恨悠悠。又傳風鶴驚閭里，無限沙蟲逐水流。禾黍歌殘漫野哭，星河影動未兵休。（〈農曆五月望日對月口占兩首〉其一）

斥堠喧傳襲鄭州，洪濤淹敵水悠悠。危城北峙憑天險，殘日西沉入海流。苦膽越王肩國任，悲情子美憫民憂。江山朗月來相照，一洗生靈鬼哭愁。

（〈農曆五月望日對月口占兩首〉其二）

類此深傷劇痛在他詩中亦屢屢提及：

伊誰誤國談清野，無數生靈墮濁流。

（〈羊石浩劫省寓藏書都成灰燼詩以哀之〉）

變亂無時已，蒸民血染沙。穿墉猖鼠雀，沉陸混龍蛇。赤地空千里，黃流淹萬家。烽煙猶未熄，誰復問桑麻。（〈兵禍水災〉）

警耗頻傳報水災，窮黎陷溺忍徘徊。大人別有非常事，曾約蛾眉午夜來。

（〈哀水災二首〉其一）

到處悲聲豈忍聞，感時不覺淚紛紛。蒼生疾苦知多少，漫野哀鴻待餔般。

（〈哀水災二首〉其二）

詩人以「子美憫民憂」自期，其不畏強權爲民請命之膽勇，也足可與杜甫〈兵車行〉「邊庭流血成海水，武皇開邊意未已。君不聞漢家山東二百州，千村萬落生荊杞」相提並論。尤其是「大人別有非常事，曾約蛾眉午夜來」，諷刺尖銳冷峻，筆力千鈞。至於其他官軍權貴，伍老更是不留情面，直指弊端，大有橫掃千軍之勢：

昔聞誓死保危城，賺得羣倫熱烈情。口血未乾先自遁，蒼生不負負蒼生。

（〈書憤〉）

九日亡羊石，一朝棄鳳城。伊誰爲禍首，直道有公評。縱敵莫稱德，偷生更不平。春秋也責帥，何以釋羣情。

（〈感時，守將縱敵而陷廣州，亦有怯戰而棄大良，賦此以當筆誅〉）

獻機復獻金，都是民膏血。仰首觀青天，我機嘗一瞥。防弛口悠悠，望救心切

切。呼天天不聞，空負人心熱。（〈敵機轟炸羊城感賦〉）

平時武士猛於虎，戰時捷足奔如猴。焦敵未能先焦土，妙略舉世眞無儔。（〈亂離行〉）

子遺留守因命賤，攜孥去國是公卿。貴人美眷凌空去，一擲萬金不足驚。平時早備錦囊計，囊括民膏換外幣。此日壯遊五大洲，豪情韻事傳國際。江山民命等鴻毛，笑擁黃金抱佳麗。（〈豪富行〉）

當然，對勇往直前、臨危不懼、戰績卓著者，伍老亦不惜溢美之詞。〈挽師長趙登禹〉：「膽豪不愧常山趙，節烈更同信國文。」「北平遽壞長城石，南苑翻成壯士墳。」〈挽副軍長佟麟閣〉：「留得英聲便不磨，昔曾躍馬動金戈。頻年異績崇麟閣，此日同悲落鳳坡。」〈聞鄧龍光軍長初十克復江門喜賦〉：「東來魔鬼襲南疆，陡遇龍泉劍吐光。新鶴三摧殷碧草，江門一捷固金湯。將軍有勇擒倭賊，醜虜無顏竄大良。盡掃胡塵安上國，終教劫火熸艅艎。」

先生不僅愛恨分明，以史筆寓褒貶，而且效仿梁啓超師以如椽巨筆喚醒國人同赴國難：「我師討賊草雄文，國民皆有所矜式。」「吾將奮筆醒黃魂，醒我黃魂解困惑。」（〈維壬子年正月二十六日爲梁任公先師百周年紀念日夢寐見之以詩述懷〉）其〈記者節獻詩〉亦間接表達了褒貶善惡以文益世之責：「無冕王帝善用兵，縱橫筆陣作長城。義嚴褒貶春秋法，人辨貞邪月旦評。箴俗立言垂百世，移風示範賴群英。蒼生久苦陰霾蔽，仗發迅雷萬籟鳴。」

面對日寇侵陵，先生以「書香世代江郎筆，國士才華岳氏兵」（〈穎盦再以詩贈次韻和之〉）自許，以「匹夫也有興亡責，誰謂男兒肯自逃」（〈書懷〉）自勵，重視撰寫類似〈詩經・秦風・無衣〉「修我戈矛，與子同仇」詩歌的鼓動作用：「兒女情牽分兩地，丈夫志切賦同仇。」（〈思家〉）勉勵將士抗日禦侮血染沙場：「孤軍獨峙守危樓，一息猶存誓不休。勁節足寒胡虜膽，霜鋒待削敵人頭。丈夫豈肯偷生去，寸地還思爲國留。與日偕亡眞大勇，拚將熱血灑神州。」（〈勉守四行倉庫諸將士〉）力求以黃鍾巨呂之聲爲精神武器打造成岳家軍：「已缺金甌未補時，國魂不絕類牽絲。待收黑水黃河域，掃盡紅丸白布旗。毀盡南來東海艦，賡吟北定中原詩。岳家兵馬黃龍戰，從此威名懾四夷。」（〈勉抗日從征將士〉）振臂高呼血性男兒踴躍參軍抗日保國：「男兒生兮當報國，憤且憂兮國難亟。昂頭長嘯向天鳴，叱吒一呼天變色。天胡此醉假彊胡，忍將生靈供翦屠。同種視爲征服地，丈夫恥作亡國奴。礪我精神揚我武，恢吾失地光吾祖。須知眾志可成城，勸君勉受苦中苦。」（〈抗戰詞〉）這種堅信眾志成城抗日必勝的雄魂壯聲頗似陸游：「風雨何曾敗月明，國家圖籙合中興。王師北定中原日，笙鶴飄然過洛城。」（〈感時·集陸放翁句〉）同仇敵愾之際，自己也要全力以赴奮不顧身：「違難離鄉井，故園付劫灰。毀家同卜式，避祿儼之推。」（〈抒懷二首〉）詩人甘願像西漢卜式那樣毀家紓難抗擊匈奴，功成後像介子推那樣避祿回家。他沿用其師梁啓超先生〈讀陸放翁集〉「辜負胸中十萬兵，百無聊賴以詩鳴」，抒發運籌帷幄旨在愛民爲民的壯志豪情：「門下三千客，胸中十萬兵。愛民猶赤子，問世爲蒼生。」（〈述懷二首〉）他針對國家積貧積弱的現狀，針砭當局者一心借重外國俯仰依人的弊端（〈寄草山元首〉其四〈借外力〉「舍己依人成亦恥，引夷制敵禍無涯」）。

至於如何著手實現振興中華之大業，先生在〈感懷有序〉提出一系列措施：「每懷家國，心憂如痗。嗟乎！地獄久困乎生靈，天誅未及於醜類。俯仰依人，自由受制。非自覺無以維新，守不變惟有待斃！儲才常培新血，救國更仗群黎。苟無文信國之正氣，孰肯寧爲玉碎？不有武鄉侯之賢能，則徒甘於坐待。而欲痛飲黃龍，抑亦難哉！」指出不思革新內政自力更生的危害，主張培植文天祥那樣頑強抗敵視死如歸的正氣，任用諸葛亮那樣神思妙算以弱勝強的賢才，特別是強調「救國更仗群黎」之智略，較之執政者七七事變廬山講話「戰端一開，地無分南北，人無分老幼」，突現出抗日戰爭要以廣大群眾爲主體的理念，可見「更仗」二字之偏重強調，更爲精要。在具體的策略方面，先生也敢於冒死建言：「無限生靈溷戰塵，此時遑惜藐然身。白虹貫日成先兆，黃水橫流有裏因。南國亡羊牢未補，中原逐鹿獸難馴。殘棋一著關興替，收拾從頭匪異人。」（〈感時〉）詩人認爲中原淪陷於日寇，既有外因，也有內因。今南方雖殘破，但未像中原那樣失控，尚可亡羊補牢。這是事關恢復祖國大業的關鍵，必須自我反省更新內政，絕不將安身立命的重任寄託於他人。這種戰略性意見顯然是說與最高當局的，而且直指弊端，敢犯逆鱗，確屬不惜「藐然身」之舉。其〈世尙淫靡，人趨貪黷，所謂復興民族之謂何？賦此以當棒喝〉即針對當局弊政而言：「天下滔滔亂未休，更悲人欲又橫流。狂潮撼盪風雲急，薄俗澆漓蜂蝶媮。伐異黨同爭末利，鬥妍邀寵覓溫柔。可憐八德消沉甚，民族精神在口頭。」詩人對黨同伐異、諂媚邀寵者深惡痛絕口誅筆伐，沉痛指出孫中山所倡「忠孝仁愛信義和平」之「八德」已蕩然無存，人欲橫流、世俗澆薄，「民族精神」只能在領袖們口頭說說而已。

合觀先生之姓名，其命意當本於〈孟子・公孫丑下〉「五百年必有王者興，其間必有名世者……如欲平治天下，當今之世，捨我其誰也」。詩人別稱「朝柱」號「擎天」（〈次韻李秘書〉），也以國家棟樑、中流砥柱自期。其詩亦往往以此明志：「煦若陽春氣似虹，達爲霖雨德猶風。中和法立安天下，五百年來命世雄。」（〈言志〉）「朝上誰爲溫太眞，公卿自惜亂離身。」「養氣藏鋒終必達，天將大任降斯人。」（〈寄懷二首〉）「此身來自九華天，遊戲人間伍百年。夢豁欲從方外去，蒼生未許我逃禪。」（〈夢裡悟禪三首〉）組詩「一自諸天墜軟紅，半生常在亂離中。果眞多難能興國，願爲眾生作鬼雄」，從語境角度看，不應局限於「多難興邦」之句面意，而是用「天將降大任於斯人也，必先苦其心志，勞其筋骨，餓其體膚，空乏其身」（〈孟子・告子下〉）典，寄寓了願爲祖國人民受苦受難犧牲性命的志向。其〈出山〉詩應爲早年初入仕途之作：「亂離千里憶鄉關，出岫原知國步艱。」「泉石情緣雲夢繞，蒼生不負負名山。」詩人深知國家多難，仕途舉步維艱，但在人生價值取向上，爲不負蒼生，只好

「負名山」而「憶鄉關」。〈舟次霧阻停泊虎門入夜復航〉「遮天霧幕阻行舟，擊楫彌思鎮濁流」，「豈欲乘桴浮海去，遙憐遍地臏啼痕」，因境興感，用祖逖「擊楫中流」典，抒發了欲收復故土解民倒懸的雄心壯志。

「陸沉誰足拯神州，日暮偏逢路遠悠。欲挽狂瀾惟直道，那知滄海又橫流。」（〈書懷〉）詩人抱著直道報國的信念入仕，儘管「原知國步艱」，然而還是低估了官場的醜惡：「沐猴亦作虎而冠，佻達貪狂妄自尊。徒恃爪牙頻肆毒，頓教閭里盡啼痕。蛇心鼠竊跳樑甚，狗黨狐迷醉夢昏。廊廟常聞爭竟夕，原來群畜奪肥豚。」（〈無題〉）此詩諷刺爭權奪利小人得勢之情形，詩末「原來」二字，流露出詩人出乎意料的感悟覺醒，表達了對官場之更爲深新的認知。「平生不識王侯貴，清濁原分涇與渭。富貴無求奈我何，權威不屈其誰畏。機心叵測亦徒然，天命非常終浪費。鼠輩渾同井底蛙，焉知國士蘊奇氣。」（〈箴俗〉）在此鶴立雞群格格不入的仕宦中，詩人寧可辭職亦要嚴守剛正不阿的伍氏家風：「祖澤胥山遠，孫來正歲寒。承先三部曲，誤我一儒冠。擊佞成家法，齊民不自安。亢宗慚未達，詩勉後人看。」（〈姑蘇謁子胥公祠廟題壁〉）伍氏家訓以詩、書、禮三事勉後人，「三部曲」指此。關於「擊佞」句，先生自

注：「余服官時雖盡力爲人民服務，惟事與願違，未臻齊民理想，卒因擊佞不遂而辭官，豈余歷代均與『佞』不兩立耶？」這一家學淵源也促成了其人生道路的抉擇：「亂離未忍辱家聲，漂泊難忘故國情。自惜羽毛寧避地，誰知碧玉卻連城。虯松錯節憐霜冷，滄海潛龍待月明。狼鼠扶搖爭直上，天涯到處有逢迎。」（〈避亂感時〉）因爲不願在小人得勢的官場中與滿目阿諛奉承者爲伍而辱沒家聲，遂決意辭官以保虯松節，將「紓國難」的重責讓位於時賢才俊了，「國手應能紓國難，閒身未許惹閒愁。」（〈書懷〉）

然而仁人志士的人生價值取向哪能說放下就能放下，在先生的心中，對身懷屠龍技而壯志未酬始終耿耿於懷：

少獵文名未足豪，半生憂患困蓬蒿。此身空負屠龍技，多難寧論汗馬勞。

（〈書懷〉）

一老皤然繫我思，鳳麟同此不逢時。擎天力絀愧爲柱，去日心愴感遇詩。

（〈次韻李秘書贈詩〉）

豈無捷足爭先赴，雖有雄心且暫休。卜築山居非自逸，未逢伯樂倍增愁。

（〈剩有雄心消未得〉）

回春妙手當醫國，澤被蒼生願始酬。（〈蛇年元旦〉）

從來國士本無雙，道大難行避野尨。（〈太息才難遇亦難〉）

大道未行焉誓墓，孑遺待拯豈乘槎。雞鳴果有回天力，迎得祥和入漢家。

（〈乙酉元旦感賦〉）

深恐浮名徒駭俗，漫言經世莫回天。平生未顯屠龍技，垂老慵爲逐鹿畋。

（〈客途對月〉）

這一情懷至老不輟：

香爐峰上一奇人，湖海歸來不染塵。萬里奔馳求碩果，三朝興廢識前因。屠龍技竣迴天地，倚馬文成駭鬼神。……不羨時賢三部曲，依然故我一儒巾。千秋大任催人老，萬籟悽聲入耳頻。責繫興亡猶未盡，時逢離亂倍交親。兵宜戢也行唯義，民可由之政以循。萬劫難磨心耿耿，一經相授語諄諄。功言德立成三業，智勇仁全在一身。天命靡常如演易，人生不朽盍書紳。胸中不盡滄桑感，眼底曾無社稷臣。仕若從公當建樹，師如離道曷傳薪。（〈異人行〉）

詩人回顧其人生歷程，陳述求學成材，熟知歷朝興廢之因果，信心滿滿地爲國而仕，認定「屠龍技竣」即可「迴天地」，「仕若從公當建樹」，不料官場齷齪，事與願違。先生不屑於吹、拍、捧之「時賢三部曲」，堅守儒者志節，心懷蒼生，責繫興亡，將「出則爲霖潛則隱，蒼生何處覓斯人」（〈雜感〉）的心聲和盤托出。「烽煙漫野復何之，整頓乾坤會有時。討寇文章金石句，照人肝膽柏松姿。」（〈客途對月〉）「寒風凋草木，焦土暖松筠。晚節經霜後，孤操似逸民。」（〈傷時〉）其〈幽居吟有序〉自述「當顛沛佗傺之危時，猶不廢風雅吟哦之韻事者，斯所以陶性靈，養浩氣，抒胸臆，寄襟懷，不以險夷改其操，不以否泰異其趣」，指的就是這種鞭撻社會醜惡、張揚士人氣節的內容。「文章造命求諸己，道義承肩不帝秦」、「頭顱如許知何價，羨煞先生筆有神」（〈解嘲〉），從此自嘲中可以體味出「千秋事業屬清流」（〈剩有雄心消末得〉）之耿耿自信了。

先生詩之內蘊價值已如上述，至於其詩人稟賦特質及詩藝特色，由「伍百年」之姓名及「此身來自九華天，遊戲人間伍百年」（〈夢裏悟禪〉）之詩篇，我聯想到金末文壇領袖趙秉文〈水調歌頭〉「四明有狂客，呼我謫仙人」詞及王中立「寄與閒閒傲浪仙，枉隨詩酒墮凡緣。黃塵遮斷來時路，不到蓬山五百年」之贈詩，友人章士釗也以「雄奇抗手李青蓮」譽之。這種「雄奇」在五古七古、樂府歌行等比較自由的詩體中，表現爲李白式的雄放，勢如長江大河波濤洶湧渾浩流轉，如〈抗戰詞〉、〈異人行〉等，眞有「聲搖五嶽作龍吟，力掃千軍夷虎穴」（〈章士釗贈詩〉）之勁氣。在近體詩特別是反映時事的七律中，則像李白〈古風五十九首〉「俯視洛陽川，茫茫走胡兵。流血塗野草，豺狼盡冠纓」，用鳥瞰全景式宏大鏡頭及超現實意象化筆法囊括概述歷史事件，如「湖山竟假狐爲穴，臺閣偏教鬼作鄰」（〈哀江南〉）、「沙蟲猿鶴驚同化，龍虎風雲爭自由」（〈蛇年元旦〉）等。當然，受飽經戰亂的生長環境及憂國憂民的情懷左右，融化到先生骨血中的主體詩風還是杜詩的沉鬱頓挫，兼容陸游的雄肆高昂、元好問的悲壯蒼涼。先生之詩大起大落，縱橫馳騁，不僅其奇思妙想出人意外，其驅典使事亦令人咋舌。好在註者方先生學養深厚，能夠從容應對，特別是對佛學、醫學等領域僻典的註引，發幽抉微，收醍醐灌頂之效。註者還從賞析的角度，由遣詞造句、謀篇佈局，到學養才華思維造詣，皆深入其內心，探究其三昧，增光添彩，堪稱伍氏功臣！

讀伍老詩詞，想伍老音容，覺先生心繫蒼生報國存種之志士仁人情懷尤宜感人，對其在滄海橫流中保留潔身自好底線，絕不降志辱身的氣節肅然起敬，遂將關聯之作鉤稽於上。詩人的學者情懷也深契我心，如「四壁陳圖籍，十年著簡編。名爲身外物，利則我無緣。日與書常伴，箇中別有天」（〈書懷〉）、「未解逢迎安我拙，不求聞達倩誰憐」（〈悟道〉）、「漫說無聞不足畏，後來蔗境有餘甘」（〈四十三自壽兩首〉）、「盜爲我貧咸卻步，貧而能樂亦何妨」（〈還家感賦〉），此等皆我輩心所欲言，讀後不禁會心一笑。他如「誰誤蒼生淪醜類，我哀赤子染胡塵。居夷猶作匡時計，何惜餘生劫後身」（〈七十七自壽〉）之港人的文化自信、「徒見天助，未竟全功，必也求人事之自力而後可」（〈農曆五月望日對月口占〉其二自注）之哲人評判、「惜食惜衣，並非惜財乃惜福；求名求利，莫如求己勝求人」（〈傳家之聯〉）之警世格言，凡此等皆屬正能量，鳳毛麟角，彌足珍貴！讀者沿循詩人心靈發展之軌跡，把握其與時俱進的脈搏，品味其苦心孤詣之造詣，必有尚友先賢、提升境界之效應。伍氏後人更當寶惜固護，將先祖精神理念發揚光大。權爲序。

二〇二一年十一月六日　狄寶心撰於山西忻州

狄寶心，一九五三年生，男，山西忻州師範學院教授。主要研究元好問及遼金文學。現任元好問學會名譽會長、遼金文學學會副會長。著有《元好問年譜新編》、《元好問詩編年校注》、《元好問文編年校注》等專著，並於《文學遺產》等發表論文多篇。

推薦序二　伍百年先生抗日詩文略論

姜劍雲、孫笑娟

「詩者，志之所之也，在心爲志，發言爲詩」，而於文者，其理亦然，故古人云：「文如其人，言爲心聲」。伍百年籍占廣東新會，生當清代末世，經歷了封建王朝的覆滅，目睹了外來列強的欺侮與腐敗當局的懦弱，顛沛動盪的生活經歷與心中的鬱憤慨歎無法吐露，一以訴諸詩賦文章。伍百年的詩文作品經方滿錦教授輯編註釋而成《逸廬詩詞文集鈔註釋》，其中詩存三百餘首，體裁多樣，古風、絕句、律詩皆備，旁及騷體與樂府，蔚爲大觀。舉凡詠懷、唱和、懷古、悼亡、贈別等，皆有涉及。文存三十篇，所涉文體頗多，包含書序、啓、祭文、賀文、論、唁函、書、記、表，題材豐富，文風典雅。紀實寫眞的手法或現實主義的風格，是伍百年詩賦文章的特色，尤其他的抗日詩文，以紀實爲主，或刻畫，或白描，日寇之猖狂橫暴，百姓之悲苦死亡，盡呈於作者筆端，風格蒼涼悲壯，頗類杜工部之「詩史」，亦近元遺山之「紀亂」。

伍百年先生的詩賦文章眞實地記錄了抗日時期的重要事件，具有珍貴的史料價值。〈致魯公任丈書〉中即有「變起盧溝」之敘說，而〈義士殲倭記〉〈趙冰博士口述，伍百年筆記〉一文，篇幅最長，完整且詳細地記錄了愛國人士趙其休帶領三江人民痛打日僞軍的歷史。一九三八年日寇入侵華南，「長驅直入，勢如破竹」，而政府軍守衛將領略作抵抗便紛紛叛逃，致使廣州陷落。日軍趁勢而上，重兵入侵新會，妄圖一舉席捲全粵。當此危難之時，趙其休「深明興亡有責之義，早具寧爲玉碎之心」，臨危受命，「接受群請，統籌餉械，振臂高呼」，鄉親們紛紛響應。趙其休帶領民眾奮死抗戰，與日寇或周旋，或對峙，惡戰三回，堅持八年，犧牲三千，贏得最後勝利。伍百年先生對此段歷史的記載十分翔實，甚至將當時日寇入侵的路線，三江人民與日寇交戰的具體時間與細節，都條列在案，成爲華南抗日歷史彌足珍貴的紀實文獻。

伍老先生以史官筆法記錄種種浩劫，以文人筆觸揭露日寇殘暴。「生靈無數量，遺骨滿沙場」，生靈塗炭，遺骸遍野，其慘絕人寰，於此可見一斑。此句以直筆書寫，與曹操「白骨露於野，千里無雞鳴」之描寫，異曲同工。廣州淪陷是抗戰時期的重要事件，伍老先生亦以詩篇紀實寫真，〈敵機轟炸羊城感賦〉云：「烽火連天掩穗城，蓬門大廈一時傾。人禽木石悲同盡，猿鶴沙蟲劫未平。梟獍爲心夷狄毒，瘡痍滿目鬼惶驚。外僑醫士曾逼害，人道胡爲任獸行。」戰爭硝煙籠罩了整個廣州城，城中的屋舍、樓房一夕之間傾倒崩塌。老百姓苦不堪言，禽獸、木頭、石塊猶然滿是傷痛，人神共憤，天地同悲。倭寇歹毒至極，毫無人性可言，他們的暴行致使廣州城滿目瘡痍，此情此景，天地驚，鬼怪泣。日寇慘無人道，直與禽獸無異。伍老先生以細膩的筆法揭露了日軍的殘暴，「烽火連天」直言戰火慘烈，此句奠定全詩基調。「人禽木石悲同盡」極言戰火帶來了無盡的悲傷，所謂「感時花濺淚，恨別鳥驚心」，一幅人間末日慘象。

「屢遭離難」、「百劫餘生」，記錄人民百姓飽受日軍侵華戰爭之苦之痛，成爲伍老先生詩歌創作之重要主題取向。其〈悼敵前殉難將士及哀其遺婦詩〉云：「強敵憑凌奮請纓，拚將血肉作長城。可憐閨裏征人婦，猶向軍衙問死生。」強敵入侵，有志之士皆主動請纓，以血肉之軀與敵寇搏鬥，以生命作爲代價換取勝利。戰場上生死難測，音信難傳，閨中思婦不知英雄已歿，仍向軍衙中詢問夫婿的生死狀況。此詩文辭質樸卻摧人心腸。首句描寫強敵入侵，良人應征之情況，作者以一「奮」字，形象地寫出了人民抗擊日寇時的英勇氣概，「拚」字生動地刻畫出了征人作戰時的勇猛。上句並未言及作戰的結果，而是依託於下句傳達體現。「可憐」二字一語雙關，既指留守家中的思婦之孤獨，亦暗中透露出征人早已犧牲的噩耗。思婦不知征人已逝，仍頻頻向軍衙詢問消息，一個「猶」字，將思婦苦苦等待的期盼心情展現得淋漓盡致，令人讀之不忍，黯然神傷。

〈悼敵前殉難將士及哀其遺婦詩〉自「思婦」的角度入手，以小見大，〈避亂〉則從大的角度切入，全面展示戰時亂局。詩云：「轟傳強敵襲危城，奪路狂奔雜哭聲。祖業家園從此別，倉皇四散亂離情。」日軍轟城的消息傳來，老百姓四散而逃，哭聲、呼號聲籠罩全城，「漫野哀鴻」，一篇雜亂悽慘之狀，可謂「到處悲聲」。人們只能含淚離開熟悉的家園，捨棄祖宗之業，倉皇出逃，自此寓居他鄉，流離失所，空餘滿腔離情。「轟」字寫出了日寇襲城之消息帶給眾人的恐慌，「奪路狂奔」眞實地再現了逃難時的緊迫。此詩自大的場面寫起，筆下無固定的人物，它所描繪的是亂世中的眾生相，讀來句句盡辛酸，字字皆血淚。

逃難即逃亡，〈難民曲〉則以白描手法勾畫離亂艱辛，詩中雖無「悲」、「苦」、「痛」之類的字眼，但依舊令人聞之落淚。「奔馳十里未果腹，路上相逢不像人」，極言奔波之苦與滄桑之狀，及至歸家，又「遍詢鄰右闃無人，憊軀斜倚門前樹」，「遍」字寫盡了戰亂年代人煙荒蕪之狀，面對此情此景，歸家之人只能拖著疲憊的身軀，癱軟在門前的老樹下。寥寥幾筆，一幅顛沛流離的難民速寫。

伍百年的抗日詩文又有如倡議書者、如動員令者，展現了一個有責任、有擔當、有血性的文人所應當具有的歷史使命。其〈上幄公書〉建言當局者「知賢即用，用賢當信，知讒即去，去讒當速，功有賞，罪有刑，必以其道，恩必厚，威不刻，始足服人」，指出唯其如此才可驅逐日寇，解救人民於水火之中。〈防護團直轄佛慈救護隊善緣啓〉寫於「盧溝橋事變」的第二年，文以「寇勢猖矣」突顯當時亂象叢生的氛圍，呼籲民眾不要「旁觀注視」，而應攜手「共克時艱」，進行全民抗戰，「合眾志以成城，資群力而衛國，庶幾自固吾圉」。作者以詩文爲鼓角，奔走呼號，鼓舞抗擊倭寇。

周敦頤《通書・文辭》云：「文，所以載道也。」伍百年抗日紀實詩文顯然也是這樣的創作指導思想。頻仍的戰亂帶給人民精神與肉體上的創傷，也帶來了文化的浩劫。伍老先生眼見「歐風東襲」，「五千年文化所萃之精華，日汩於寥落之域」，心中悲痛不已，故以詩文爲武器，欲「挽頹風而存國粹」，因此伍百年先生之詩文中處處可見對戰亂寫眞般的如實描述，對抗日戰爭中犧牲英雄的讚美與哀挽；對「以國粹爲秕糠」、「以洋唾爲珠瑜」之文化厄運的歎息與悲憤。

推薦序二

伍百年出身書香門第，少有能才，且師從詩人林仲肩、思想家梁啓超等新會名士，總該百家，筆法多變，文風多樣。觀其三十篇文章，有駢有散。駢文之作，多四六儷對，工飭雅致，音韻流暢。且典故摛藻，允當自然，經史子集，信手拈來，內容之豐富，令人歎爲觀止。尤其文中常常以駢體句式，鋪排陳述危難之情狀與日寇之殘暴，讀之令人憂從心生，怒不可遏，感染力極強。散文之作則娓娓道來，文章節奏，不急不徐，層層遞進。論述之文，有理有據，懾人氣魄；記敘之文，有條有理，引人入勝。賞其三百餘首詩，既不乏工整的對偶句式，音韻鏗鏘，情辭兼備，又常以樸素簡練的文字敘寫描摹，不尚辭藻與雕飾。其如寫廣州之難，乃以「血染五羊城，骨聚千堆雪」十字，直筆推出巨幅慘象，筆勢縱橫，陰風怒號，令人不寒而慄。

《文心雕龍．原道》曰：「文之爲德也，大矣！」伍百年之文經天緯地，既是歷史之見證，也是歷史之記錄。讀其抗日詩文，可深切感知日寇罪惡之罄竹難書，以及民生之凋敝、文化之凋零，亦可體會大敵當前，民族存亡關頭文人氣節之所在。這樣的紀實文學，內涵博大而又深厚，氣衝霄漢，足以垂示後人。

姜劍雲　孫笑娟謹誌

姜劍雲，江蘇東臺人。教授、博導。曾任河北大學工商學院人文學部主任、文學院副院長。河北省文化產業創意家協會副主席，河北省國學學會副會長兼秘書長，中國遼金文學學會理事，韓國慶北大學嶺南文化研究院客座教授，韓國學刊《嶺南學》外國人編委。

孫笑娟，河北邯鄲人，河北大學博士研究生，師從姜劍雲教授研究魏晉南北朝隋唐文學。發表論文有：〈「活古化金與中國文論」中國古代文學理論學會研討會綜述〉〈先唐重陽習俗與文詠〉〈以「猛禽」自說的柳宗元詩解讀〉〈試論柳宗元論體文之「三觀」及獨特風格〉。

推薦序三　詩箋讀罷轉忘情

陳煒舜

二〇〇七年八月杪，香港中文大學中文系主辦為期兩日之「第二屆香港舊體文學國際研討會」，來自世界各地的與會學者達七十人之多。我當時執教臺島，然亦有幸藉暑假返港探親之機緣，在會上敬陪末座，與睽違數年的師友相聚，並聆聽先進高論。當此之際，我對於近現代舊體詩雖偶或寓目，卻談不上研究。在潘美月老師的建議下，選擇了臺大已故教授鄭騫（因百，一九〇六～一九九一）的〈讀詞絕句三十首〉為論題，拋磚引玉。自茲以還，興趣日增。會議上，不少論文令我耳目一新，視野得以開拓，方滿錦博士（也是退休校長、著名中醫）所宣讀關於其太岳丈伍百年先生（一八九六～一九七四）詩作的論文便是其一。然彼時行色匆忙，無法向方醫師請益。所幸翌年，會議負責人黃坤堯教授編成《香港舊體文學論集》，方醫師大作赫然在內，遂能較為仔細地研讀觀摩。方醫師謂伍先生「其詩憂國傷時，情同杜甫、陸游；其詞豪放雄渾，有如辛稼軒；其文得新民體之精髓，不脫梁任公本色，甚或可以亂眞」。如其回贈章士釗之七律云：「夢回聽徹玉笙寒，閒卧滄江強自寬。漱玉醉花詞綴藻，鬱金香草氣如蘭。琴

推薦序三

樽北海容多士，絲竹東山薄一官。烈士壯心知未已，蒼生誰為挽狂瀾。」沉鬱頓挫而不失冷麗。又如譏諷汪精衛投敵之〈王三娘子失節被棄〉：「國色如何不自珍，那堪回首錦江春。心傷桃李曾僵代，貌似楊花亦美新。午夜夢殘恩欲絕，東風力薄露難均。根寒枝老飄零甚，恨比冤禽總未伸。」王三娘子即《珍珠衫》主角王三巧，既作比喻，「王三」又射「汪」字，極為巧妙。可惜的是論文限於篇幅，仍令人難以一窺全豹。

二〇一四年，我自臺返港工作已數易春秋。系上獲得一筆捐款成立基金，鑒於黃坤堯教授業已退休，希望我協助其高足程中山師弟重新組織舊體文學研討會，唯關注範圍則由香港擴展至整個華語世界。於是，我們將會議名稱定為「風雅傳承：民初以來舊體文學國際學術研討會」，預計於二〇一五年六月初舉辦。在草擬邀請名單時，我曾考慮過兩位學者，一是成功大學中文系張高評教授，二是方醫師。如此考慮的原因在於：高評老師不僅精研唐宋詩，又對歷代韻文深具獨見；而伍百年先生的詩集未見問世，故期待方醫師能與我們分享最新研究成果。可惜的是高評老師因榮休在即而不克參加，方醫師的聯絡方法一直無法覓得，只得作罷。

「風雅傳承」會議舉辦前不久，成大文學院院長王偉勇老師告知，將為高評老師舉辦一次榮休研討會，希望我能參加。一看日期，恰在「風雅傳承」結束後兩日，故而欣然允諾，同時更爲了解高評老師不克來港的原因。成大會後，高評老師笑言：「這趟無法去香港，沒關係，我暑假過後就會到樹仁大學履新，到時我們多聯繫！」這眞是個意外驚喜。不過高評老師來港就任後，還是一如既往地忙碌。二〇一六年夏，我與師妹徐瑋教授舉辦首屆「滄海觀瀾：古典文學體式與研究方法學術研討會」，乃特意邀請他擔任開幕主講嘉賓。此後第二、三屆會議，高評老師皆有蒞臨。遺憾的是除卻學術交流活動，我與高評老師縱然想找機會聚餐，最常採用的聯絡方法仍是電話。二〇一八年春夏之際，我們打算在九月舉辦第二屆「風雅傳承」會議，於是再度邀請老師與會。老師說：「過完這個學期，我就要離港回臺，恐怕等不到九月的會議啦。」對於我來說，這不啻又一個意外。電話中，高評老師繼續說：「在香港這三年，我們都沒有好好一聚。我有一位好友方滿錦，既是中國文學博士，又是著名中醫師。我這幾年在香港有什麼病痛，都是請他醫治。方醫師古道熱腸，打算在六月二十三日晚上設宴餞別，你有空不妨一起來，多結識些朋友吧！」於是我與師弟潘銘基教授一起參加了這場宴會，終於拜識方醫師眞面目。

席上，我向方醫師詢及伍百年先生詩集的情況，以及是否有興趣參加第二屆「風雅傳承」會議。方醫師謂當下正在整理伍先生的幾種著作，無暇撰構新文，手邊只有一篇關於元好問〈論詩絕句〉的論文。我說：「沒關係，我們明年夏天會舉辦第四屆『滄海觀瀾』會議，到時再邀請您蒞臨！不過我今年九月就要前往中研院展開一年的研修假期，明夏的會務要偏勞銘基兄，大家保持聯絡吧！」

剛到臺灣，高評老師就打來一通電話：「伍百年先生有一本《客途秋恨》，方醫師馬上要交付萬卷樓再版，我替他寫了一小段推薦語，出版時會印在封底。現在伍先生另一本著作《芝蘭室隨筆》也要再版，你和銘基也各寫一段推薦語吧！萬卷樓的副總編張晏瑞是你老友，你方便時可向他要一份清樣，先讀一讀。」第二天，我就到萬卷樓向晏瑞兄取一份清樣，仔細拜讀，順便幫忙做了一通校對，且撰成推薦語云：

《芝蘭室隨筆》重刊，實乃發潛德之幽光。斯德斯光，非僅來自著者伍百年先生之精心撰構、輯者方滿錦博士之耐心蒐羅，也來自書中所載故老前修之軼聞佳話。尤其值得注意的是，各篇往往以詩詞聯語點睛，或為前人舊制，或為伍氏己作，珠聯璧合，好古者固能由此增長見聞，好文者亦可由此玩味辭章，誠不可多得之佳構也。

寫完之後，深覺意猶未盡。不久，香港公開大學《田家炳中華文化中心通訊》邀我寫一篇關於香港文學的短文，於是又草就〈百年妙筆筆如鐵：掌故文學著作《芝蘭室隨筆》讀後〉，聊作紹介。爲時一年的研修假期中，我經常返港參加活動。至二〇一九年六月，第四屆「滄海觀瀾」會議順利召開，方醫師如約蒞臨。會後，方醫師一如既往，慷慨邀請開幕演講嘉賓武漢大學王慶元教授伉儷、姜劍雲教授、銘基夫婦和我在旺角歡宴，教人感佩。

二〇一五年首屆「風雅傳承」會議上，我宣讀了一篇關於北洋元首段祺瑞詩文的拙著。在學界友朋的鼓勵下，我邀請了一批來自兩岸四地的青年學者爲段集作註。然因庶務猥雜，我最後的統合工作竟延宕了三數年之久。所幸在臺一年，終將書稿收拾完畢，交給晏瑞兄付梓，至二〇一九年底收到《段祺瑞正道居詩文註解》的樣書。二〇二〇年元旦過後，我登門拜訪方醫師，奉贈段集一冊，倒觸發了他新的想法。原來方醫師不僅已請人將伍先生的詩文集輸入爲電子檔，更已一校完畢，本要向萬卷樓交稿。但翻閱拙編段集後，卻決定獨力爲伍集作註釋、賞析，以利廣大讀者。我聞言後既驚且敬：方醫師年過古稀，白天如常看診，又無助理在側，要挪用公餘時間黽勉從事，此與拙編段集誠不可同日而語！然而方醫師十分樂觀：「我平常每天下午六點休診，凌晨兩點就寢。如果把每晚休息的時間挪出來做註解，一定沒問題！」見我還欲勸阻，又說：「伍先生生前從未提及詩文創作的事，直到過世後，我才從他的遺物中找到這些手稿。由我來負責整理，應該是冥冥中的天意吧！」身爲伍先生嫡孫女的師母站在一側抿嘴笑了：「方Sir 找到新的精神寄託了，很好！」我於是點頭答道：「有師母精心照料，我就放心啦。」此後，每次造訪方醫師，我們都會就詩句的解讀、注音乃至魯魚豕亥加以討論，毫無倦意。

二〇二一年十一月初，方醫師寄來伍百年《逸廬詩詞文集鈔註釋》全書電子檔，計有《逸廬吟草》三百餘篇、《逸廬文存》三十篇，註釋詳盡，《吟草》諸篇詩詞更有賞析文字，深入淺出。兩年以來孜孜不倦的精神，眞可激勵後進，置以爲像。而今付梓在即，受命爲序。拜讀狄寶心、姜劍雲二位教授的弁言，於伍先生之作品析論甚詳。珠玉在前，未敢效顰，遂謹將自身與方醫師其人、伍先生其書之因緣，覶縷如上，聊備來者考徵。可嘆的是過去兩年，「風雅傳承」、「滄海觀瀾」會議皆已暫停舉辦。寄望疫情過後，伍百年《逸廬詩詞文集鈔註釋》面世之日，能重邀方醫師、高評老師、慶元老師、劍雲教授及各位天各一方的師友們歡聚一堂，暢論詩文！謅小令〈浣溪紗〉以收結云：「憐取心魂一片冰。詩箋讀罷轉忘情。珠璣猶在也堪驚。　鰲海從新賒月色，草山依舊號陽明。夢中何處計歸程。」

陳煒舜　謹識於烏溪沙壹言齋

二〇二一年十二月十一日

陳煒舜，先後任職於臺灣、香港，現執教於香港中文大學中文系，並為臺灣中研院文哲所、浙江大學傳媒及國際文化學院訪問學者。學術興趣包括古典文學、神話學等。編著書籍二十餘種，並於海內外研討會及期刊上發表論文近二百篇。

編者序

方滿錦

伍百年先生於一九七四年往生，遺下大量手稿，經整理後，先後出版了小說體的《客途秋恨》、雜文體的《芝蘭室隨筆》。二書面世後，廣受讀者歡迎，書市供不應求，於是，一版再版，這對我出版是書帶來莫大的鼓舞！

伍百年先生的文學創作，眾體悉備，除小說、雜文外，其古典文學如詩、詞、文，皆古風盎然，擲地有聲，篇篇可誦。其作品內容以寫實為主，刻劃出時代背景，真實地揭露民間痛苦，他關心民瘼，為百姓吶喊，正言時弊，以天下蒼生利益為出發點，句子中洋溢愛國情懷及民族精神，是典型修齊治平的儒士本色。伍老先生的遺稿中，詩詞有《逸廬吟草》，文章有《逸廬文存》各一本，以手鈔謄寫，書法工整有致，不減書家。現整理上述遺稿合而為一，並加上注釋，命名《逸廬詩詞文集鈔註釋》。是書刊行面世，其意義是家族後代子孫不忘祖輩教誨，並承傳其遺志，弘揚中華文化，期盼有益於世道人心。

在冥冥中，可能是上天安排，或者是隔代因緣，一九七〇年代中某日，我無意間在

編者序

從未打開過的陳舊箱籠中，發現一疊伍老先生塵封多年的手鈔詩文稿，這些文稿，家人從未見過，也不知寫於何時，予人的感覺是抒懷遣興，秘不示人。對於稿件的發現，我如獲至寶，一直珍藏，有待付諸梨棗。時至今日，事隔四十七年，因緣成熟，感謝上天慈悲，荷蒙萬卷樓總經理梁錦興先生及總編輯張晏瑞先生，予以大力支持，使此書順利付梓；同時也感謝山西忻州師範學院狄寶心教授、河北大學姜劍雲教授暨其高足孫笑娟女史、香港中文大學陳煒舜教授，他們諸位賜予序言，彌增本書光輝；及感謝小姨伍家璧女史參與校對，最後要感激我太太伍鳳儀女士，對此書的編寫提供不少寶貴意見，及糾正不少謬誤。以上諸位，謹此獻上摯誠的祝福以作謝意。

某也，乃草澤郎中，大隱市廛，久違風雅，自慚腹儉，下筆有恨，誠惶誠恐，窮三餘以成書，企望學林君子，恕諒並賜教，是所至盼！是爲序。

方滿錦　謹誌

二〇二二年七月一日

引論　讀伍百年先生《逸廬詩詞文集鈔》手稿

方滿錦

一　引言

伍百年先生工詩詞，善文章，其詩憂國傷時，情同杜甫、陸游；其詞豪放雄渾，有如辛稼軒；其文得新民體之精髓，不脫梁任公本色，甚或可以亂眞。其社論文章，除立論公正不阿外，更以駢散筆法撰寫，行文揮灑流暢，有如行雲流水。其述史記實之文，亦駢散兼行，筆錄史實，如《義士殲倭記》（香港中文大學圖書館有藏）即其例也。是書由新亞書院前董事長趙冰博士口述，伍百年先生筆錄，其弁言云：「倭寇侵邊，肇釁于東北；蘆溝變起，毒痛乎西南；……迪有義士，起自民間，竭愛國之赤誠，伸民族之大義，挺身攘臂，糾集義民，餉械自酬，不耗公帑，……救人不取酬，建功不受賞，立巖牆而色不變，履虎穴而智脫危……。」註一

此外，百年先生雖非小說家，亦能以明清小說家之筆調，撰寫詩文詞曲融滙而一之小說，其才情之高，直逼古人。五十年代，百年先生以吟秋客筆名，聯同名畫家潘峭

風，摘取粵劇名伶白駒榮首本名曲〈客途秋恨〉之曲詞，演繹成圖文並茂之抒情小說，逐日刊於《自然日報》副刊，轟動香江文壇，時人譽「《客途秋恨》之白歌、伍文、潘畫，堪稱三絕」[註二]。香港文人作品中，似尚未見以一首歌詞演繹爲一篇小說者，百年先生之《客途秋恨》，實屬創舉。

百年先生才氣縱橫，文學成就何止數端？囿於篇幅，僅述其人其詩，以資紀念。

二　伍百年生平述略

伍百年先生（一八九六～一九七四），廣東新會白沙里人，出身書香世家，其父伍月垣先生乃清季「國子監太學生，習儒術而不慕名，通法理而尊崇人道，精申韓之學，而不以名法炫世，以醫濟世」[註三]。時值革命軍興，清帝遜位，國體變更，月垣先生召百年先生而曉諭之曰：「國體雖更，亂離未遏，有志之士，應以國家中興之責，引爲己任，治國之道，聖賢已詳言之矣，經世之學，今人研之少矣，神而明之，存乎其人，爾小子宜勉之！」[註四]百年先生敬謹受教，由是萃其力於經邦治國之道，從名師，求益友，舉凡古今中外治亂得失之端，無不夜以繼日，求得其當，蓋得父之教也。

據伍氏家譜載百年先生「生於清光緒二十二年，少岐嶷，記憶力特強，有神童之譽，六歲進校三年，八歲而通五經，十三而成文章，從名師陳芙意學文、林仲肩學史兼書法、梁任公學政治文章，集各師之大成，弱冠考廣東高等法政專門學堂，監督夏同龢狀元嘆爲奇才，每試輒冠全曹」[註五]。問世後，從律從政，其家譜述其「繼父志而主鄉政，爲民團團長，旋執律師業，嗣充廣州警察總局警審所承審官，調升所長，粵軍討逆之役，任職東路討賊軍總司令部上校祕書，……靖亂後，考任第一集團軍總司令部祕書」。[註六]有關其生平事蹟，從其〈致林毅南學長書〉可知梗概：

僕也，宦遊羊石，干祿金陵，佐幕府於元戎，未嫻軍旅，擁書城以立法，無補民權，雖志欲濟夫蒼生，而澤未及赤子，撫躬循省，慚疚殊常，正動退思，遽遭國難，倚劍灑傷時之淚，走筆成討賊之文，及至傀儡登場，木屐採縱於三島，蠻夷問鼎，鐵蹄踐踏於兩京，迫而橐筆南還，藉收文化抗戰之後勤，以俟揮戈北指，頗爲武力之前驅。[註七]

百年先生嘗以子房之才，爲當軸之客卿，爲國奔勞，時南時北，時顯時隱，亦曾避亂濠江。一九四九年百年先生流寓香江，應《自然日報》之請，主持筆政，撰寫社論，並於副刊撰寫俠義言情長篇小說《客途秋恨》。晚年懸壺濟世，設醫務所於中環李寶椿大廈，嘗應泰國客屬公立醫院之請，作醫學演講。六十年代，講課於經緯書院。一九七四年夏，百年先生歿於港，享世七十有九。其著述頗豐，已出版者有《芝蘭室隨筆》、《客途秋恨》、《義士殲倭記》、《內分泌與糖尿病》，另遺世手稿《逸廬詩草》、《逸廬文存》、《驗方便覽》及《傷寒擷微》，尚待付梓。

百年先生志士仁人也，遭逢亂世，飽歷滄桑，觀其一生，經歷國體更易，內亂外侵，政權易手，流寓海外，其身世情懷及抱負，《芝蘭室隨筆》〈自序〉云：

> 江湖浪跡，覽百態之紛呈；滄海歸來，傷萬方之多難！觸於目者可憶，攖於心者難忘，深於情者足傳，悖於義者當貶，摘其事之足述，言之無傷者，不論古今中外，蒐羅筆底，其紀之也固宜。祇以疏懶成性，清狂猶昔，孤蹤落落，影儗寒

梅；傲骨嶙嶙，趣同澹菊，矧生亂世，難覓桃源，侷處湫居，愧對蘭室！舉目有河山之異，焉得閒情？騁懷無泉石之娛，更牽俗慮！進不得中原逐鹿，退不獲航海潛龍，用武無從，臨文有恨！祇贏得清風兩袖，殘卷一囊，煮字難療，吟懷愈惡。讀庾子山之賦，哀盡江南；登王仲宣之樓，望迷冀北。文物湮沒，人境全非，藐是流離，至於暮齒。下帷蘇子，重讀陰符；解組張侯，又著金匱。問百世之絕學，誰是繼人？藏萬卷之遺廬，都付劫火。輒灑傷時之淚，常懷報國之思。茹苦訓兒，記家祭之無忘；抱殘結侶，守吾道以南行。不遇知音，寧安緘默。如斯心境，本無意於操觚；舊雨忽來，竟促余以握管。才非倚馬，技等雕蟲，急就成章，蕪瑕難免，所望攻錯剔疵，固有賴於通人。祇求立論持正，可告諸於讀者。註八

上引序文，雖屬駢體，然揮灑自如，流暢明快，文筆宏肆，擲地有聲，而未見堆砌之弊，才情之高，於此可見。百年先生乃亂世才人，慨歎「江湖浪跡，覽百態之紛呈；滄海歸來，傷萬方之多難」！其議事態度，具董狐風範，公正不阿，「深於情者足傳，悖

於義者當貶」。由於遭逢國難，感觸殊深，「讀庾子山之賦，哀盡江南；登王仲宣之樓，望迷冀北。文物湮沒，人境全非」、「輒灑傷時之淚，常懷報國之思！茹苦訓兒，記家祭之無忘」；其人抱負，志在霖雨蒼生，奈何「進不得中原逐鹿，退不獲航海潛龍」；其人天生「傲骨嶙嶙」，不與俗世同流，「不遇知音，寧安緘默」。

三 伍百年先生之詩

伍百年先生遺存詩文手稿，存詩逾三百首，眾體悉備，並有創體，題材多傷時憂國，反映現實爲主，無論何種題材，如詠懷、寄贈、遊歷、唱和、思鄉、退隱、悼亡、懷古、題詠等，都洋溢著愛國情懷，有杜甫及陸游之風。近人章士釗評其詩文云：「詩是宗唐，文是桐城派作風，而繼任公之後，從事革新，好用排筆，而駢散兼行，這是錢牧齋的格調。」註九並有贈詩云：

一代文光光映雪，百年妙筆筆如鐵！聲搖五嶽作龍吟，力掃千軍夷虎穴；書法董
狐正不阿，詞宗司馬曾何別？雄奇抗手李青蓮，雅逸前身陶靖節。註一〇

而百年先生亦曾回贈章氏詩，於此可見互相推許之情：

夢回聽徹玉笙寒，閒臥滄江強自寬！漱玉醉花詞擬藻，鬱金香草氣如蘭！琴樽北
海容多士，絲竹東山薄一官。烈士壯心知未已！蒼生誰爲挽狂瀾。註一一

百年先生詩以記實爲主，尤其縷述戰亂慘況，有杜甫之風，而情懷又與放翁同，愛國熱忱，躍現紙上，玆引下列數詩爲證：

敵機轟炸羊城感賦 一九三八年六月六日

烽火連天掩穗城，蓬門大廈一時傾。人禽木石悲同盡，猿鶴沙蟲劫未平。
梟獍爲心夷狡毒，瘡痍滿目鬼惶驚。外僑醫士曾逼害，人道胡爲任獸行。註一二

戰爭使「蓬門大廈」、「人禽木石」、「猿鶴沙蟲」同遭淪亡厄運，詩中除譴責日寇外，並譏諷國際未能制裁侵略者。

哀粵民 五言古詩（紀事詩）

鐵鳥蔽空來，彈落如雨屑，廣廈與蓬門，榱崩柱又折，仕宦至庶人，
肢殘同命絕，血染五羊城，骨聚千堆雪。覆巢變山坵，陷處成窟穴。
大道不通行，薄棺紛陳列。死者永冤沉，生者痛離別。傷者徒呻吟，
醫者救難徹。四野腥氣熏，午夜悲慘冽。習習陰風吹，沉沉魂魄結。
雲山景寂寥，珠海流嗚咽。人道既淪亡，國際空饒舌。黃種自相殘，
白人誰不悅。唇亡齒亦寒，藩籬忍自撤。鷸蚌久相持，漁人笑我拙。
獻機復獻金，都是民膏血。仰首覩青天，我機嘗一瞥。防弛口悠悠，
望救心切切。呼天天不聞，空負人心熱。民命等蜉蝣，哀哉我遺子！註一三

此詩上半部記述戰爭慘狀，活現眼前，令人寒慄，「血染五羊城，骨聚千堆雪」，「大道不通行，薄棺紛陳列」、「傷者徒呻吟，醫者救難徹」；下半部則爲蒼生抱不平，痛斥渾水摸魚者之醜行，何等可怕，「國際空饒舌」、「漁人笑我拙」、「獻機復獻金，都是民膏血」，末二句「民命等蜉蝣，哀哉我遺孑」，再爲民命哀歎。全詩用仄韻，語促而厲，益見沉痛。

百年先生除崇杜甫詩外，亦酷愛陸游詩，有集陸游句七絕二首：

感時二首　其一

風雨何曾敗月明，國家圖籙合中興。王師北定中原日，笙鶴飄然過洛城。

其二

一笴他年下百城，山如翠浪盡東傾。蒼天可恃何曾老，再到蓬萊路欲平。註一四

百年先生之詩，悲壯雄豪，洋溢愛國情懷，深得陸游詩神髓，下列諸詩可見一斑：

引論

挽師長趙登禹丁丑（一九三七）秋作

膽豪不愧常山趙，節烈更同信國文。果也見危能授命，勇哉負創建奇勳。
北平遽壞長城石，南苑翻成壯士墳。遙望燕雲歌薤露，鼓鼙聲急倍思君。註一五

趙登禹（一八九〇～一九三七），抗日名將，七七事變後，日軍入侵，趙登禹率部死守北京城外的南苑，孤軍作戰，奮勇抗敵，壯烈殉國，死年三十九，舉國哀悼。詩中譽趙登禹爲趙子龍及文天祥，末句「遙望燕雲歌薤露，鼓鼙聲急倍思君」，尤爲沉痛。

勉守四行倉庫諸將士

孤軍獨峙守危樓，一息猶存誓不休。勁節足寒胡虜膽，霜鋒待削敵人頭。
丈夫豈有偷生去，寸地還思爲國留。與日偕亡眞大勇，拚將熱血灑神州。註一六

一九三七年，七七蘆溝橋事變，日寇侵華，八月攻上海，我軍抗日名將謝晉元（一九〇五～一九四一）率八百壯士死守戰略要點四行倉庫。四行倉庫乃當年四大銀行：大陸銀

行、金城銀行、鹽業銀行、中南銀行之儲備倉庫。倉庫位於蘇州河北岸西藏路，樓高七層，爲鋼筋水泥建造之七層大樓，樓身堅固，易守難攻，具戰略價值。敵軍動員強大兵力，配備精良，強行攻城。死守四行倉庫之八百壯士，雖以寡敵眾，惟士氣高昂，以不死精神，前仆後繼，英勇抗敵，屢重創日軍。捷報傳遍中國，國人振奮，百年先生賦詩勉之，句句振奮士氣，如「勁節足寒胡虜膽，霜鋒待削敵人頭」、「與日偕亡眞大勇，拚將熱血灑神州」，是詩豪放悲壯，風格如陸游詩。

濠江客邸過清明

風聲遙把角聲傳，一念危巢便惘然。人哭清明流血淚，我悲寒食起烽煙。四郊多壘瑩生棘，千隴無禾草蔓田。賦罷登樓心亦碎，烏啼月夜不成眠。註一七

抗日期間，百年先生嘗避亂澳門，適逢清明，感慨不已，詩中「人哭清明流血淚，我悲寒食起烽煙」，可見其心情非常沉痛悽愴。彼以杜甫之筆調，述錄戰爭災害，「四郊多壘瑩生棘，千隴無禾草蔓田」，斯時，遊子心態焉能不「賦罷登樓心亦碎」！

贈李任潮將軍

叱咤當年萬里馳，清風兩袖一囊詩。運籌足儗蕭相國，鑄像甯忘范蠡祠。

獻策賈生無黍節，還家蘇子有誰知。丹心恥作封侯想，蒿目蒼生欲濟時。註一八

李濟深（一八八五～一九五九），字任潮，原籍江蘇，生於廣西蒼梧，出身行伍，著有《李濟深詞鈔》及《李濟深詩文選》，有儒將之稱。李濟深嘗寓港，百年先生賞其文才、武才及抱負清廉，故贈詩中有「清風兩袖一囊詩」及「丹心恥作封侯想」等語。

贈湯恩伯將軍

大任從來匪異人，西平風範靄相親。八年奮武馳南北，百戰餘威泣鬼神。

蒿目山河猶破碎，攖心國土懼沉淪。艱虞賴有忠良在，砥柱狂流罔惜身。註一九

湯恩伯（一九〇〇～一九五四），原名湯克勤，浙江武義人，日本陸軍士官學校畢業，

中國國民革命軍高級將領，抗日時期，血戰南口，聲名大噪，爲臺兒莊大捷之名將，於華北戰場上，多次重創日軍，故百年先生譽之云：「八年奮武馳南北，百戰餘威泣鬼神」。日寇侵華，罪惡深重，「蒿目山河猶破碎，攖心國土懼沉淪」，令人悲愴。其人面對國難，「砥柱狂流罔惜身」，令人敬仰。

國運重光喜極而賦此以誌慶也

東夷北襲復南侵，荼毒生靈恨已深。叛黨詞人更媚敵，殘民奸吏競淘金。
覆巢猶望全完卵，報國常懷策反心。歷險含辛棲虎穴，八年苦旱遇甘霖。註二〇

上詩雖云爲國運重光喜極而賦，然喜意不多，反而借詩回顧日寇侵華、漢奸賣國、奸吏斂財之史實及個人經歷。詩中控訴日寇「東夷北襲復南侵，荼毒生靈恨已深」，又諷汪精衛爲「叛黨詞人更媚敵」，亦斥發國難財之「殘民奸吏競淘金」，自己則「報國常懷策反心」，「歷險含辛棲虎穴」，戰事結束，國運重光，末句「八年苦旱遇甘霖」，聊以點題而已。

百年先生詩才橫溢，眾體悉備，如疊字詩、騷體詩、創體新樂府、五古、七古、諷刺詩等均可窺其愛國熱情，茲引錄如下：

（一）疊字詩

疊字詩，源出《詩經》，難寫難妙，百年先生疊字詩嗚咽淒斷，感人肺腑，如：

哀戰詞二首 一九三七年　其一

神州莽莽亂紛紛，鼙鼓冬冬日日聞，擾擾干戈驚陣陣，憧憧鬼影動群群；
纍纍白骨堆堆積，隊隊紅顏處處云，口口聲聲尋弟弟，嗚嗚咽咽哭君君。註二二

上詩八句，疊字十八，七律之中，實屬罕見。詩中以寫實手法，除指出戰爭殘酷外，「纍纍白骨堆堆積」，亦縷述民間慘劇：亂世時代，婦女為生活所迫，「隊隊紅顏處處云」；家人失散，「口口聲聲尋弟弟，嗚嗚咽咽哭君君」，呼天搶地尋親，聞者心酸。

其二

茫茫塵海禍滔滔，滾滾狂潮夜夜號；是是非非終混混，生生死死亂糟糟。
悠悠史跡斑斑血，浩浩災場點點膏；暮暮朝朝長恨恨，風風雨雨鬼嘈嘈。註一二一

此詩疊字凡二十，其難度更高。上詩哀悼戰爭殘酷，塗炭生靈。亂世時代，「是是非非終混混」，人性無是非可言；「生生死死亂糟糟」，生命無保障可言；戰事無情，空餘長恨，「暮暮朝朝長恨恨，風風雨雨鬼嘈嘈」，誠可悲也。

上引二詩，疊字連連，復而不厭，頤而不亂，益增悲愴哀痛，「正是嗚咽淒斷說不出處」，乃一首血淚之作，動人肺腑。

（二）騷體詩

惜逝 端午悼故友亦自傷

惜往逝兮逝者已往乎西遊，賦歸來兮來者復歸於南陬，西遊一去兮不復返，南陬三遷曷勝憂。昔嘗共棲止，相濟切同舟。寖且成永訣，長此恨悠悠。

吁嗟乎，歎逝者其已矣兮，等人生于蜉蝣，豈因世之溷濁兮，曾不願以少留。傷羽翮之摧折兮，値滄海之橫流。茝蘭萎于空谷兮，剩野卉之盈疇。懷孤憤以嫉俗兮，實曲高而寡儔。思隱遯以高蹈兮，將踵武乎巢由。但舉世之泯棼兮，烽煙已漫乎神州。去吾土其夷狄兮，儼南冠之楚囚。矧先民之多艱兮，忍恝然而乘桴。鄙肉食者之貪婪兮，恥屠狗之封侯。懼與傖夫爲伍兮，貽吾黨之奇羞。懍大道其將絕兮，守殘闕而罔休。凌絕頂以縱目兮，慨壯志之莫酬。不隨駑馬之跡兮，必欲駕乎騂騮。乘騏驥以馳騁兮，尋遺則于孔孟。倘世與我而相遺兮，弔屈子于江頭。登西臺而慟哭兮，傾餘蘊之煩憂。苟靈爽其不昧兮，魂來饗于斯樓。註三

上首詩乃騷體，筆勢縱肆，起伏迴蕩，一唱三嘆，情感眞切，除悼友及自傷「壯志莫酬」外，亦有傷時之語，如「但舉世之泯棼兮，烽煙已漫乎神州，去吾土其夷狄兮，儼南冠之楚囚」。詩中對權貴小人予以鄙屑，如「鄙肉食者之貪婪兮，恥屠狗之封侯，懼與傖夫爲伍兮，貽吾黨之奇羞」，最後表達其願望「乘騏驥以馳騁兮，尋遺則于孔孟」，若事願違，則「弔屈子于江頭，登西臺而慟哭兮」，其情懷沉痛非常。

（三）創體新樂府：步雲點睛格

步雲點睛格乃百年先生新樂府詩之創格，由三言至六言均偶句，從三言起至七言單句，從三言起至七言，遞加直上，謂之步雲（取腳踏青雲步步高之義），用題目五言爲收句，謂之點睛，而偶句均對仗。

徒悵秣陵秋

雲中鶴，海上鷗，飛翔閬苑，嬉逐江頭，恥與雞群立，不爲世網囚，哂彼貪夫殉利，任他屠狗封侯，一朝勢落成春夢，徒悵秣陵秋。

百年先生潔身自愛，「恥與雞群立」，諷刺南京當國者，若不爲群眾造福，徒事黨爭，縱使如何富貴，轉眼成空，其不自由處，爲世網所羈，枉用心機，曾鷗鶴之不如！結果落得惆悵京華，一場春夢而已，足爲主政者當頭一棒！

世人每爲名韁利鎖所縛，世網俗累所囚，何有自由？宜乎爲鶴鷗所笑。所謂名利權威，一旦勢落，便成陳跡，徒供後人憑弔，何爭逐爲？此詩之意也。

醉眼看橫流

煙波動，月影浮，興亡史蹟，湧上心頭，盛事稱三代，霸圖懾五州，忠佞恩讎瞬
汰，賢愚善惡全休，空餘後浪推前浪，醉眼看橫流。註一四

每於煙波蕩漾，月影浮沉之際，使人乍起今古興亡滄桑變幻之感，如中國之盛治，輒稱三代（三代指唐虞夏），列強之霸圖，威懾五州（暗指拿破崙、威廉二世、希特勒、史達林之輩），惟轉瞬之間，煙消雲散，不論忠佞恩讎，賢愚善惡，俱爲時代所淘汰，則野心家亦可以休矣！

此詩旨在諷刺世界黷武主義之侵略者，不應違反時代潮流，妄爭霸權，遺害人類，凡事宜從達觀，莫再蹈列強霸主之覆轍，否則亦不免爲洪流所淘汰。

上二詩，由首句三言至六言，凡偶句均含對仗，詞意典雅，聲韻鏗鏘，洵妙文也。其寓意誠能針對現實，蘊寓深意，豈僅情詞並茂而已也。而於世道人心，亦有裨益焉。

蓋百年先生爲愛國詩人，生逢亂世，懷才不遇，與杜甫陸游身世略同，而其感慨更不離時代及現實，與無病呻吟者迥異，能不令人欽佩之餘，一掬灑同情之淚哉！

（四）新樂府

木屐兒歌 紀念八一三

木屐兒，木屐兒，橫挑戰禍欲胡爲？本屬同文復同種，自煎同根撤藩籬，鬩牆招侮殊非計，舉目誰親漫恃勢，既襲南滿掠遼陽，侵攫臺灣與高麗，滿則招損之禍何？利之所在必有弊！必有弊！君不見威廉之二世，窮兵失國走天涯，又不見法之拿破崙，稱雄踏破歐羅巴，卒阨於俄遭慘敗，五州雖大難爲家，須知謙者方受益，驕貪必敗奚足誇，勿謂天下莫予毒，或者天命在中華，一舉蕩平爾三島，直搗東京碎櫻花，櫻花碎，倭人悔，爾時雖悔亦已遲，嗟爾東夷何憒憒。註二五

日寇侵華，血痕未乾，每誦至「或者天命在中華，一舉蕩平爾三島，直搗東京碎櫻花，櫻花碎」，不禁令人熱血沸騰，義憤塡膺！

(五) 五古

門人方滿錦購得先師所著《飲冰室全集》呈閱予雒誦師書有感而作（長五言古詩）

遺著重雒誦，不禁淚雙垂。四十五年來，念師無已時。思成與思永，
吾師跨灶兒。學成獻祖國，成永留西岐。我師及其子，所學兼華夷。
文化界巨人，師當之無疑。哲人有哲嗣，小人固嫉之。巢覆卵難全，
心爲成永危。祈天祐成永，安全如所蘄。更禱師之靈，護之以靈旗。
幸獲償所願，天道果無私。永任教清華，成作工程師。塤箎蒙庥祐，
吉人災難離。衣食兩無缺，所學克施爲。緣師及父祖，積善由好施。
廉隅向所守，眞理闡無遺。遺書贈世人，人皆以爲奇。我昔列門牆，
杖履常追隨。訓我以八德，範我以四維。勉我成通才，勗我爲良醫。
天下爲己任，窮達志不移。餘力以學文，旁及詩賦詞。治學貴有恆，
從政職無虧。愛民如赤子，宅心本仁慈。溫故更知新，博學尤愼思。
舉凡師所傳，篤行罔敢欺。弱冠任法曹，廉貞克自持。壯歲佐元戎，
運籌適機宜。宦遊京滬間，群黎口留碑。逆知廈將傾，苦口進良規。

忠言每逆耳，國士徒愴悲。失策長城毀，蟲鶴任驅馳，百萬師卷甲，
千里失城池，豪門遁異域，全局剩殘碁。老子蓬萊去，骨肉棄邊陲。
醜類天誅稽，鼠狐地獄羈。識時爲俊傑，包胥哭秦師。文士投炎荒，
武夫拊肉髀。子牙居海澨，蘇武苦天涯。白梅凋北郭，黃菊冷東籬。
冬暖兒號寒，年豐妻啼飢。長才無所用，大節未曾靡。經年懷家國，
一朝望新曦。未悖師門訓，徒辜師厚期。憶昔難忘昔，念玆永在玆，
對書長太息，掩卷欲語誰。（師昔有句云：舉國猶狂欲語誰。）註二六

七十六歲白首門生朝柱伍百年

全詩九十二句，一韻到底，氣魄恢宏，跌宕抑揚，內容豐富，清沈德潛《說詩晬語》卷上第四十八則載：「五言古，長篇難於鋪敘，鋪敘中有峰巒起伏，則長而不漫；……，又長篇必倫次整齊，起結完備，方爲合格。」此詩亦具上述優點。是詩爲紀念師恩而作，並愛屋及烏，憂心師嗣思成、思永，顯見師徒之情何等深厚眞摯。詩中透露百年先生行誼「弱冠任法曹，廉貞克自持，壯歲佐元戎，運籌適機宜，宦遊京滬間，群黎口留

碑，逆知廈將傾，苦口進良規，忠言每逆耳，國士徒愴悲」，並對政局之逆轉，人事之境況，國運之艱難，故舊之凋零，表示深切哀痛，慨歎「老子蓬萊去，骨肉棄邊陲」，「文士投炎荒，武夫拊肉髀，子牙居海澨，蘇武哭天涯，白梅凋北郭，黃菊冷東籬」，句句寫實，更情同放翁。「經年懷家國，一朝望新曦」，愛國之情，及對祖國之期盼，可見一斑。

（六）七古

維壬子年正月二十六日為　梁任公先師百周年紀念日夢寐見之以詩述懷

我師生異常兒幼岐嶷，天才天授非人力，齠齡鄉黨稱神童，賦性剛強如矢直，四歲能讀四子書，五歲毛詩已稔識，六至七齡通五經，八歲學文抒胸臆，九歲能綴千字文，十二游泮初奮翼，十七己丑舉孝廉，斯時文名動京國，主考鄉試李尚書端棻〔伍註〕，心驚師才重師德，以妹許字成姻親，抵掌論政深相得，弱冠問學康師門，耳目一新開茅塞。〔伍註〕以上見師〈三十自述〉一文中。清政不修弱且竄，外侮紛乘蹙疆域，帖括取士錮儒林，敗壞人才心腐蝕〔伍註〕清之錮才腐心政策，顧亭林云：「八股取士，敗壞人才，甚於焚書坑儒。」見《日知錄》。，公車上書格帝心〔伍註〕德宗光緒帝甚感動。。百日維新遭鬼殛〔伍註〕新政為頑固群臣環攻，西太后破壞。，袁賊辜恩泄機謀，賣主媚后違帝敕〔伍註〕袁世凱奉德宗密諭，敕令袁率兵圍頤和園，迫西太后同意新政，袁竟將機謀泄于西太后之心腹佞臣榮祿，西太后遂興大獄，殺六君子譚嗣同等於柴市，康梁避禍遠適異國。。西后凶頑過呂雉，忍將六子謀戕賊，幽囚清帝於瀛臺，更任權監肆凌迫〔伍註〕西太后囚德宗於瀛臺，以寵監李蓮英監視之，對德宗百般凌虐，迫西后病革時：更鴆弒德宗，此為光緒三十四年之秘辛也。，禍不旋踵清亦亡，終見銅駝生荊棘。漢族重光政共和，袁氏陰懷心叵測，乙卯帝制竟自爲〔伍註〕西元一九一五年民國四年乙卯，袁世凱洪憲稱帝。，風悲日昏天地黑。我師討賊草雄文〔伍註〕民國四年乙卯袁氏洪憲稱帝，先師草檄討袁，全國回應，中外震動，師更命門人蔡松坡返滇策動雲南省都督唐繼堯、貴州省都督劉顯世、四川省長戴戡，師復親詣南京，說長江三省巡閱使馮國璋，曉以大義，馮本屬袁之心腹大將，但馮自接納師長建議，即按兵不動，拒袁出兵之請，師見長江流域已定，乃遄返廣東，與廣西都督陸榮廷及前兩廣總督岑春煊合組兩廣討袁司令部於肇慶，師任都參謀長，章士釗副之，余兄朝樞任政務廳長，由是各省討袁之義師紛起，袁知大勢已去，一氣之下，吐血身亡，帝制之禍遂息。，國民皆有所矜式。雲南義師動地來，帝制毒焰於焉熄，再造共和舉世崇，不朽之功同禹稷。師昔避禍涉重洋，遊蹤所歷遍南北〔伍註〕師昔避禍遠涉東西洋、南北美，及德法義各國，遊蹤遍歷寰宇，宣揚大同理論，著作等身，以貽世人，革新中華文化，迎合世界新思潮，以促進化，厥功甚偉。。等身著述貽世人，革新文化盡天職。欲使世界臻大同，浩氣長存永無極，紀念吾師百周年〔伍註〕一九七二年歲次壬子，正月二十六日為先師誕辰百周年紀念日，余此時夢寐見之，爰作此詩，以示不忘云爾。，至今夢寐恆追憶。於戲世界機運屢推移，大野玄黃變顏色，劣者敗兮優者勝，弱者之肉強者食，國際已無正氣存，

邪說紛呶肆讒慝。吾將奮筆醒黃魂，醒我黃魂解困惑！註二七

是詩雖爲七古，但起句突兀不平，不爲格律所羈，故超二字，並押仄韻，益增氣勢磅礴，頓挫抑揚，一氣呵成，兼而有之。詩中彰述任公一生，可謂無遺，宜作史詩看。師歿百年，「至今夢寐恆追憶」，崇師之情，於此可見。詩末有「國際已無正氣存，邪說紛呶肆讒慝，吾將奮筆醒黃魂，醒我黃魂解困惑」等句，關心國運國魂，乃百年先生一生志業，蓋受師訓所影響也。

（七）諷刺詩

百年先生爲無黨派人士，對各黨派無主從關係，更不牽涉利害衝突，故交遊滿天下，並受到尊重，其對人處事公正不阿，正氣凜然，不畏權勢，以天下蒼生利益爲福祉，章士釗先生譽爲「書法董孤正不阿」，誠非虛語。其論黨國要人之詩如下爲證：

諷精衛 註二八

當國詞人輕去國，那堪回首錦江春〔伍註〕錦江，即川水。誰憐桃李曾僵代〔伍註〕曾仲鳴是汪門桃李，以其師事汪也，而卒李代桃僵，以身殉私，汪宜悼也，倩誰憐之。，自比楊花亦美新〔伍註〕時人因汪反覆，目為水性楊花，謔而虐矣，余謂揚雄美新遂貽詞人敗德之譏，汪之響應近衛，得無類是。（按：新為王莽國號，莽篡漢，揚為大夫，作劇秦美新，論秦之劇，稱美之新，時論譏之敗德。）。爲借東風資近衛〔伍註〕楊花欲借東風以資近衛。，飄零南越悵前塵〔伍註〕孰知反飄零南越，始悟東風之無力，徒飄零而悵前塵，亦可哀也。。護林心事隨流水〔伍註〕汪詞云：嘆護林心事，付與東流，……琴空根老，同訴飄零。，負此冤禽劫後身〔伍註〕冤禽名精衛，而之為黨歷史亦因此而負矣。。

百年先生後嫌此詩明寫太露，再以王三娘子失節被棄爲題，續詠一律，以寓諷刺之意，仍用眞韻：

王三娘子失節被棄

國色如何不自珍，那堪回首錦江春。心傷桃李曾僵代，貌似楊花亦美新。
午夜夢殘恩欲絕，東風力薄露難均。根寒枝老飄零甚，恨比冤禽總未伸。註二九王三娘子，即名劇《珍珠衫》主角王三巧。詩題的「王三娘子」隱含「汪」意。抗日戰爭期間，汪精衛（一八八三～一九四四）組織南京國民政府，百年先生不恥其所爲，作詩諷其親日失節，謂其「自比楊花亦美新」、「爲借東風資近衛」，最後落得下場「根寒枝老飄零甚，恨比冤禽總未伸」。

寄草山元首 註三〇　四首錄其一　失大陸

無限江山誤手中，一身成敗亦英雄。潮流後浪推前浪，時代新風淹古風。
得失先機爭一著，詐誠異處隔千叢。註三一 當年龍虎風雲會，歷史無情總是空。註三二

草山行館位於臺灣北投，乃蔣介石之官邸，故蔣有草山老人之號。草山元首一詞或語帶相關，微含諷意，如此稱呼，可謂罕見。百年先生責其失去江山，敗於「潮流後浪推前浪」、「得失先機爭一著，詐誠異處隔千叢」，註文中謂蔣「不以誠讓治國乃失敗之一因」，就「誠讓治國」，其意義頗堪玩味，末句「歷史無情總是空」，指蔣「不早功成身退，終受潮流歷史所汰」，時至今日，已有定論。總的而言，「草山元首」失了民

心，其失敗的命運是必然的。

四　結語

詩之爲用，伍百年先生於其《逸廬詩詞文集鈔》〈自序〉云：「夷考詩三百篇，大抵古聖賢發奮之所爲作也，以風雅頌爲經，以賦比興爲緯，經序四始，紀家邦風俗，政教得失，以明興廢之由，緯列五際，推卯酉午亥，革政革命，以窮治亂循環之理，其道宏矣。」註三三詩風之流變，百年先生〈自序〉云：「生當盛治，有風和日麗之吟，遭遇亂離，則多憂國傷時之感，其否泰苦樂之境雖殊，而其所以爲詩一也。」註三四

百年先生乃亂世才人，又爲愛國志士，無奈遭逢亂世，爲國奔馳，時南時北，嘗避亂濠江，最後客寓香江終老，一生無論由幼及壯，由壯及老，在何時，居何位，處何方，其志常繫霖雨蒼生，其詩每在憂國傷民，情同杜甫、陸游，堪稱愛國詩人。

——本文發表於二〇〇七年八月由香港大學中文系、香港中文大學聯合書院、香港中文大學逸夫書院、香港中國語文學會聯合主辦之「第二屆香港舊體文學

國際研討會」，並刊載於《香港舊體文學論集》（香港：香港中國語文學會，二〇〇八年八月第一版），第一輯，頁四三～五二。

註釋

註一　趙冰博士口述・伍百年先生筆記《義士殲倭記》（香港：一九六八年一月再版，香港德成印刷），頁五。

註二　伍百年／文・潘峭風／畫・方滿錦／編《客途秋恨》（臺北：臺灣天工書局，一九九八年），頁一。

註三　《伍氏家譜》手稿，頁三一。

註四　《伍氏家譜》手稿，頁三二。

註五　《伍氏家譜》手稿，頁三九。

註六　《伍氏家譜》手稿，頁四〇。

註七　《逸廬詩詞文集鈔》手稿本，頁一五二。

註八　伍百年著：《芝蘭室隨筆》（臺北：臺灣天工書局，一九九八年），頁一。

註九　伍百年著：《芝蘭室隨筆》（臺北：臺灣天工書局，一九九八年），頁一五。

註一〇　伍百年著：《芝蘭室隨筆》（臺北：臺灣天工書局，一九九八年），頁一五。

註一一　伍百年著：《芝蘭室隨筆》（臺北：臺灣天工書局，一九九八年），頁一六。

註一二　《逸廬詩詞文集鈔》手稿本，頁八四。百年先生自註：敵機自五月十八日起，至六月十二日，連天轟炸羊石，尤以六月六日至十日為烈，中法韜美醫院亦被波及，法醫㤼受池魚之殃，國際仍無實施制裁之決心，人道云乎哉？

註一三　《逸廬詩詞文集鈔》手稿本，頁二九。

註一四　《逸廬詩詞文集鈔》手稿本，頁六七。

註一五　《逸廬詩詞文集鈔》手稿本，頁三二。

註一六　《逸廬詩詞文集鈔》手稿本，頁三六。

註一七　《逸廬詩詞文集鈔》手稿本，頁五二。

註一八　《逸廬詩詞文集鈔》手稿本，頁五八。

註一九　《逸廬詩詞文集鈔》手稿本，頁五八。

註二〇　《逸廬詩詞文集鈔》手稿本，頁八五。

註二一　《逸廬詩詞文集鈔》手稿本，頁四六。

註二二　《逸廬詩詞文集鈔》手稿本，頁四六。

註二三　《逸廬詩詞文集鈔》手稿本，頁九九。

註二四　《逸廬詩詞文集鈔》手稿本，頁六八。

註二五　《逸廬詩詞文集鈔》手稿本，頁六五。

註二六　《逸廬詩詞文集鈔》手稿本，頁一一三。

註二七　《逸廬詩詞文集鈔》手稿本，頁一一五。

註二八　《逸廬詩詞文集鈔》手稿本，頁五二。

註二九　《逸廬詩詞文集鈔》手稿本，頁五三。

註三〇　《逸廬詩詞文集鈔》手稿本，頁八九。

註三一　「詐誠」一語，伍百年先生自註：不以誠讓治國乃失敗之一因。

註三二　「歷史無情」一語，伍百年先生自註：不早功成身退，終受潮流歷史所汰。

註三三　《逸廬詩詞文集鈔》手稿本，頁二。

註三四　《逸廬詩詞文集鈔》手稿本，頁二。

伍百年　著
方滿錦　編註

逸廬文存

癸卯年槐月

萬卷樓刊本

第壹冊　逸廬文存

伍百年　著
方滿錦編註

逸廬文存

自序一

太古[註一]結繩紀事，典籍闕如[註二]，伏羲畫卦[註三]開端，斯文始作。迨版圖之愈廣，更人事之日繁，複襍方言，誠難一致，深長歷史，直繫千秋[註四]，非文無以達其辭，唯書迺[註五]能垂其後，由是經史子集，百家紛陳，墳典誥銘[註六]，萬世不朽。五千年之政教得失，四百兆之民風澆淳[註七]，按圖便可靡遺[註八]，開卷自能有益，縱國運歷興亡之變，而文化無淪滅之虞[註九]。其爲用也溥而閎[註一〇]，其感人也深且遠，集群賢之制作[註一一]，萃[註一二]歷代之精華，愚者足以通其情，懦者足以立其志，賢者足以傳其道，智者足以成其名，文之功，不其偉歟？

然而世變如荼[註一三]，文亦遭阨[註一四]，秦政不德[註一五]，書也被焚，雖祖龍逞災梨禍棗[註一六]之威，但司馬具守缺抱殘[註一七]之力，加以漢武之表章六藝[註一八]，漢儒之口授遺經，胥[註一九]能起弊扶衰，崇文重道，其後再經六朝五胡之亂，暨金元滿清之侵，猶有唐儒杜韓之詩文，宋儒程朱之理學，與夫明代之王陽明，清季之曾滌生，相繼而起，負續絕存亡之責，樹承先啓後之功，雖文體間有變移，而文化賴以不墜。

詎及季世[註二〇]，競尚歐風，摭俚諺[註二一]以爲文，詡[註二二]新知而自飾，以國粹爲秕糠[註二三]，作名教[註二四]之罪人，以洋唾爲珠瑜[註二五]，實文壇之公敵，既昧文化一貫之意義，尤乏民族八德[註二六]之精神。豈知國破文存，久而同化，元清即其先例。至若文亡國在，漸而忘本，埃及足爲前車[註二七]。更有對史乘[註二八]而茫然，問學詩而未也，循章[註二九]誤解，魯魚[註三〇]貽大雅之譏，別字訛音[註三一]，苟狗作同聲之混。丁茲末葉[註三二]，弼教[註三三]其誰？文之劫，彌足傷矣！

余也，宦遊嶺表[註三四]，橐筆[註三五]京華，奮十舍之程[註三六]，才慚倚馬[註三七]，守三餘之晷[註三八]，技託雕蟲，敢云壽世[註三九]之文，徒灑傷時之淚，半生佚藁[註四〇]，都付劫灰，餘此殘篇，自珍敝帚[註四一]，留得文章氣骨[註四二]，貽厥[註四三]後人，聊將錦繡心腸[註四四]，質[註四五]諸當世，其或以余爲知言耶？若是則文之存，爲不虛矣。

民國戊寅端午逸生伍百年序於岡城逸廬

註釋

註一　太古：遠古、上古。唐虞時代之前。

註二　闕如：欠缺。

註　三　伏羲畫卦：伏羲，華夏民族始祖，三皇之一。畫卦，創立陰陽八卦。《易．繫辭下》：「古者包犧氏之王天下也，仰則觀象於天，俯則觀法於地。觀鳥獸之文與地之宜，近取諸身，遠取諸物，於是始作八卦，以通神明之德，以類萬物之情。」

註　四　直繫千秋：繫，連接、維繫。千秋，指年代久遠。

註　五　迺：同乃。

註　六　墳典誥銘：墳典，指三墳五典，屬於古書。三墳，指伏犧、神農、黃帝的書。五典，指少昊、顓頊、帝嚳、堯、舜的書。誥銘，文體一種，誥，古帝王對臣子下傳的命令；銘，文字刻記在器物或石碑上的一種文體，如座右銘或墓誌銘等。

註　七　澆淳：澆，浮薄、輕浮；淳，淳厚。寓意輕浮風氣破壞淳厚風氣。

註　八　靡遺：沒有遺漏。

註　九　淪滅之虞：淪滅，滅亡；虞，憂慮。

註一〇　溥而閎：溥，廣大；閎，宏大、閎偉。

註一一　制作：指禮樂典章的制度。

註一二　萃：聚集、會萃。

註一三　世變如荼：世變，世情、世事、時代；變，轉變。荼，毒害。

註一四　遭阨：阨，通厄，遭受困厄。

註一五　秦政不德：秦政，秦朝統治制度。不德，無德、失德。

註一六　祖龍逞災梨禍棗：祖龍，秦始皇；逞災梨禍棗，逞，放縱、任意。災梨禍棗，梨，梨木；棗，棗木，古人刻書多用梨木、棗木，如果濫刻沒有價值的書籍，稱棗梨之災。寓意秦始皇禁書焚書之害。

註一七　司馬具守缺抱殘：司馬，官名，職權如太尉、丞相，漢初廢太尉，置大司馬。漢．儒學大師董仲舒，曾任相位，故可稱司馬。董仲舒先後獲漢景帝及武帝寵信，其天人感應及大一統論，備受帝主賞識，故此朝廷獨尊儒術，罷黜百家。董仲舒位高權重，炙手可熱，為今文經代表，在經學發展上，今文經居主流地位。不過，古文經代表劉歆也不示弱，批評今文經學者「守缺抱殘」。所謂守缺抱殘，是抱著殘缺陳舊的東西不放，形容思想守舊，不求改善。《漢書．劉歆傳》：「猶欲抱殘守缺，挾恐見破之私意，而無從善服義之公心。」

註一八　表章六藝：表章，同表彰。表揚、顯揚。六藝，禮、樂、射、御、書、數，乃古代儒生所修科目。

註一九　胥：皆、都。

註二〇　詎及季世：詎及，豈料到。季世，朝代末段，即清末。

註二一　摭俚諺：摭，摘取、選取。俚諺，巷里流傳的諺語、俗語。

註二二　詡：大言、自誇。

註二三　秕糠：秕，穀殼。糠，米糠，猶瑣碎，無用之物。

註二四　名教：名分與教化，古傳統儒家禮樂文化，重視名分，以名為教，故稱名教。《管子・山至數》：「昔者周人有天下，諸侯賓服，名教通於天下，而奪於其下，何數也。」

註二五　珠瑜：珍珠美玉。

註二六　八德：古儒做人八種根本德行，指孝、悌、忠、信、禮、義、廉、恥。民初，孫中山先生提倡新八德：忠、孝、仁、愛、信、義、和、平。

註二七　前車：即前車可鑑。

註二八　史乘：泛指史書。

註二九　循章：遵從規律。

註三〇　魯魚：魯與魚二字相近，容易誤寫錯讀。《抱朴子・內篇・遐覽》：「書三寫，魚成魯，帝成虎。」又成語：亥豕魯魚。

註三一　訛音：錯音。

註三二　丁茲末葉：丁茲，丁，遇上。茲，這。末葉，末世，朝代末期。

註三三　弼教：輔助教化，多以刑輔教。《書．大禹謨》：「汝作士，明於五刑，以弼五教，期於予治。」

註三四　嶺表：指嶺南地區。

註三五　橐筆：古代書史小吏，侍立帝王或大臣左右，持筆記事。

註三六　奮十舍之程：奮，奮發、努力。十舍，一宿為一舍，即一天，十舍即十天。程，指路程。駿馬一天可跑十舍之程，平庸之馬十天才至。《淮南子．齊俗》：「騏驥千里，一日而通；駑馬十舍，旬亦至之。」

註三七　才慚倚馬：慚，慚愧。倚馬，指才思敏捷，倚在馬旁可急就成文。宋．劉義慶《世說新語．文學》：「桓宣武北征，袁虎時從，被責免官，會須露布文，喚袁倚馬前令作，手不掇筆，俄得七紙殊可觀。」

註三八　守三餘之晷：守，堅持、掌握。三餘，古人抓緊三段時間來學習，即冬、夜、陰。泛指閒暇時間。晷，音鬼，日景、日影，比喻時光。

註三九　壽世：造福世人。

註四〇　佚藁：寓意文稿屬精品。

註四一　自珍敝帚：敝帚，敝，謙稱自己；帚，掃帚。寓意珍惜自己平凡的東西，所謂「家有敝帚，享以千金」。

註四二　文章氣骨：透過文章，折射作者氣質與風骨。

註四三　貽厥：流傳、遺留。《書經．五子之歌》：「明明我祖，萬邦之君，有典有則，貽厥子孫。」

註四四　錦繡心腸：滿腹詩文，善出佳句。元．鮮于必仁〈折桂令．李翰林〉：「珠璣咳唾，錦繡心腸。」

註四五　質：問明、質詢。

自序二

稽古[註一]結繩以治[註二]，性渾樸[註三]而智未開，迄今變夏以夷[註四]，文矜新而質愈薄[註五]，其始也雖簡，賡颺[註六]盛世之元音[註七]，其末也則頽，終昧先王之大道，故孔子刪書，端在唐虞[註八]，陸生文賦[註九]，首稱墳典[註一〇]。溯[註一一]十四朝之正統，代有英髦[註一二]，誦十三經之遺篇，心儀聖哲。文以載道，思以啓人，經緯天地謂之文[註一三]，慮深通敏[註一四]謂之思，故書曰：「文思安安[註一五]。」蓋謂安天下之所當安也，文勝於質則浮誇，質勝於文則鄙野，故語曰：「文質彬彬[註一六]。」蓋謂文質參半之爲君子也。因文化之興替，測氣運[註一七]之隆汙[註一八]，中外古今，不磨[註一九]斯義。

余自髫齡[註二〇]治學，壯歲宦遊，涉經史之皮相[註二一]，時慚腹儉[註二二]，踏雲山於足下，常覺神怡，拔劍豪吟，撫琴默惕[註二三]，屢遭離亂，發爲憂國之辭，百劫餘生，輒灑傷時之淚，才非倚馬，到處留鴻[註二四]，學等屠龍[註二五]，依然屈蠖[註二六]，浮沉塵海，寥落名山，奮十舍之程[註二七]，材同策駑[註二八]，窮三餘之晷[註二九]，技祇雕蟲。雖嘗佐幕府於元戎，未嫻[註三〇]軍旅，貢芻蕘於當軸[註三一]，莫裨時艱，縱志欲濟乎蒼生，而澤未及於赤子，撫躬循省[註三二]，慙疚註三三殊常。

今也，潛龍在田註三四，老驥伏櫪註三五，檢盈箱之斷簡註三六，半飫蠹魚註三七，問故宅之藏書，都付劫火。子弟蒐其燼餘，朋儕彙其近藁，促余付梓註三八，以葆其眞。余曰：「文章何價，誰能定評？」昔劉歆謂揚雄〈太玄〉之篇，將以覆瓿註三九，陸機謂左思〈三都〉之賦，合作蓋甕註四〇，而桓譚則譽爲絕倫註四一，張華則因以紙貴註四二，此豈淄澠註四三之味殊，而嗜痂之癖註四四異輿。矧彼鴻儒碩學註四五，名宦經師，如康成註四六之宏文，通人註四七不取，以溫公註四八之健筆，駢儷不諧註四九；王筠表述之材實空疏註五〇，夫之評東坡之學僅揣摩註五一，益知經世之雄才，與文辭之絕藝註五二，或未可得而兼擅也。

余既無潘安仁之文采，司馬光之經綸註五三，陸士衡之詞賦，陶靖節之高逸，揚雄左思鄭玄之蘊藉註五四，韓愈李白杜甫之才華，更奚敢作藏山傳人註五五之想，而視同吉光片羽註五六之珍耶？友曰：「不然！以吾子治今古於一爐，負道義於兩肩，縱未克振其木鐸註五七，又何必緘若金人註五八乎。出其餘緒註五九，教其子弟，存其國粹，不其善輿。」余無以難之，既愜註六〇於理而不忍拂其情註六一，遂付以文而有以塞其望註六二，更爲之序。

逸廬主人伍百年識

註釋

註一　稽古：考察古事。

註二　結繩以治：結繩，指記事。治，治理天下。《易經・繫辭下》：「上古結繩而治，後世聖人易之以書契。」

註三　渾樸：樸實淳厚。

註四　變夏以夷：變，改變；夏，指華夏的中原文化。以，為。夷，指外族。此言正統的中原文化，淪為異族文法，是本末倒置的現象。

註五　文矜新而質愈薄：文，指文采、形式。矜，自大、自誇。質，內容。薄，不厚重。

註六　賡颺：亦作賡揚，相互繼續。

註七　元音：即母音，與輔音或子音相對。

註八　唐虞：指堯舜時代。

註九　陸生文賦：即陸機《文賦》。

註一〇　墳典：指三墳五典，屬於古書。三墳，指伏羲、神農、黃帝的書。五典，指少昊、顓頊、帝嚳、堯、舜的書。

註一一　溯：溯，回想、溯原。

註一二　英髦：才俊之士。

註一三　經緯天地謂之文：經緯天地，經緯，寓意規劃管理；天地，指天下事。文，指文治。唐．韓愈〈賀冊尊號表〉：「經緯天地之謂文，戡定禍亂之謂武。」

註一四　慮深通敏：慮深，思慮深邃。通敏，通，達到；敏，辦事勤勉。

註一五　文思安安：文，指管理天下有文，即有文理，井井有條。思，指慮深通物。安安，溫和寬容。

註一六　文質彬彬：文質，舉止文雅和樸實。彬彬，配合和諧。《論語．雍也》：「質勝文則野，文勝質則史。文質彬彬，然後君子。」

註一七　氣運：氣數與命運。指人與物的盛衰轉移。

註一八　隆汙：即隆污，高與低，寓意盛衰興替。《禮記．檀弓上》：「道隆則從而隆，道污則從而污。」汙同污。

註一九　不磨：不可磨滅。

註二〇　髫齡：童年。

註二一　皮相：表面、不深入。

註二二　腹儉：腹中學問淺短。

註二三　撫琴默愓：撫琴，彈琴。默愓，默，靜默，沈默；愓，舒緩、悠閒。

註二四　留鴻：留下鴻爪，寓意留下往日痕跡。宋．蘇軾〈和子由澠池懷舊〉：「人生到處知何似？應似飛鴻踏雪泥。泥上偶然留指爪；鴻飛那復計東西。……」

註二五　學等屠龍：學等，據學習者能力分等級。屠龍，春秋時代，朱泙漫學屠龍技於支離益，學成無所用。《莊子．列禦寇》：「朱泙漫學屠龍於支離益，單（通殫）千金之家，三年技成，而無所用其巧。」

註二六　屈蠖：蠖（音獲），別稱尺蠖，尺蛾的幼蟲，屬蛾科，節肢動物，身體細長，靠屈伸肢體前行。屈蠖，寓意委屈不得志。

註二七　奮十舍之程：奮，奮發、努力。十舍，一宿為一舍，即一天，十舍即十天。程，指路程。《淮南子．齊俗》：「騏驥千里，一日而通；駑馬十舍，旬亦至之。」

註二八　策駑：策騎平凡的馬。

註二九　窮三餘之晷：窮，努力用盡。三餘，古人抓緊三段時間來學習，即冬、夜、陰。泛指閒暇時間。晷，日景、日影，比喻時光。

註三〇　未嫻：未熟練。

註三一　貢芻蕘於當軸：芻蕘，割草採薪。貢芻蕘，自謙獻上淺陋之見。當軸，當權者、當局。

註三二　撫躬循省：躬，自身。撫躬，反躬。循省，檢查、考察。意謂自我反省。

註三三　慙疚：即慚疚，慚愧內疚。

註三四　潛龍在田：潛龍，寓意有才德之士。田，田野。寓意君子待時或未遇。

註三五　老驥伏櫪：驥，良馬。伏，倚伏。櫪，馬槽。三國・魏・曹操〈步出夏門行・龜雖壽〉：「老驥伏櫪，志在千里，烈士暮年，壯心不已。」

註三六　檢盈箱之斷簡：檢，檢視。盈箱，滿箱。斷簡，殘缺不全的書簡或書籍。

註三七　半飫蠹魚：飫，飽食。蠹魚，書蟲。

註三八　付梓：付印。梓，刻板。

註三九　覆瓿：覆，同復，覆蓋。瓿，醬罐。形容文稿無價值。《漢書・揚雄傳贊》：「吾恐後人用覆醬瓿也。」

註四〇　蓋甕：甕，瓦製器皿，如酒甕、水甕。蓋甕，寓意著作無價值，可作蓋甕之用。

註四一　桓譚則譽為絕倫：桓譚，字君山，東漢初名學者，長於音樂及政治，嘗稱譽揚雄〈太玄〉之篇，以為絕倫。《漢書．揚雄傳》載：「今楊子之書。文意至深，而論不詭於聖人，若使遭遇明君，更閱賢知，為所稱善，則必度越諸子矣。」

註四二　紙貴：指洛陽紙貴，寓意作品風行一時，紙價因而上升。晉．左思嘗以十年時間完成〈三都賦〉，因無名望，未受重視。名人張華閱後，大為讚賞，推薦給有高名於世的皇甫謐作序，〈三都賦〉遂風行天下。《晉書．左思傳》：「於是豪貴之家競相傳寫，洛陽為之紙貴。」

註四三　淄澠：水名，山東省有淄水、澠水，二水味各不同，合之難辨。寓意性質不同的兩種事物。

註四四　嗜痂之癖：嗜，嗜食。痂，瘡痂。癖，癖好。指嗜好奇特，與一般異。《南史．劉穆之傳》：「邕性嗜食瘡痂，以為味似鰒魚。」

註四五　矧彼鴻儒碩學：矧，況且，彼，那。鴻儒，大儒。碩學，學識豐富者。

註四六　康成：東漢．鄭玄（一二七～二〇〇），字康成，東漢高密人，經學大家，時稱鄭君，弟子自遠方來者數千人。康成經學著述豐富。

註四七　通人：學識淵博而通達的人。

註四八　溫公：指宋相司馬光（一〇一九～一〇八六），字君實，別稱司馬溫公，北宋政治家、史學家、文學家，主要作品《資治通鑑》、《溫國文正司馬公文集》等。他雖然著作豐富，嘗言

「至於屬文，實非所長」。（見〈辭修起居注第三狀〉）

註四九　駢儷不諧：駢儷，指駢四儷六的駢體文。不諧，不諧和、不協調。

註五〇　王筠表述之材實空疏：王筠（四八一～五四九），南朝著名文學家及書法家，字元魁，琅邪臨沂縣人，出身士族，嘗為昭明太子蕭統文學侍從，為官時，曾上表〈青州謝上表熙寧元年十月〉，自謙「學非通敏，材實空疏」。空疏，空虛淺薄，沒有實質內容。王筠著述豐富，有《王詹事集》，及書法《至節帖》傳世。

註五一　夫之評東坡之學僅揣摩：夫之，王夫之（一六一九～一六九二）。王夫子不滿東坡，作出批評：「酒肉也，佚遊也，情奪其性者久矣。寵祿也，禍福也，利勝其命者深矣。志役於雕蟲之技，以聳天下而矜其慧。學不出於揣摩之術，以熒天下而讎其能。」揣摩，揣度心意。

註五二　絕藝：絕技、超人技能。

註五三　經綸：才識、才能。

註五四　蘊藉：指君子氣質隱藏不外露。《後漢書．恆榮傳》：「榮被吸儒衣，溫恭有蘊藉。」

註五五　藏山傳人：古人著述不便問世，藏之名山候同好者有緣者發現。寓意作品具價值，流傳後世。《漢書．司馬遷傳》：「僕誠以著此書，藏之名山，傳之其人，通邑大都，則僕償前辱之責。」

註五六　吉光片羽：吉光，古傳說神獸。片羽，神獸身上一片羽毛。寓意殘存物非常珍貴。漢・劉歆《西京雜記》：「武帝時，西域獻吉光裘，入水不濡。」

註五七　木鐸：金口木舌銅鈴，為古代用作召集民眾，公告施政之用。此外，也喻宣揚教化。《論語・八佾》：「天將以夫子為木鐸。」

註五八　緘若金人：緘，閉口不言，或喻恐有顧忌而不語。金人，指銅像。《孔子・家語》：「孔子觀周，遂入太祖后稷之廟，廟堂右階之前，有金人焉，三緘其口，而銘其背曰：『古之慎言人也。』」

註五九　餘緒：剩餘的資產或才學。

註六〇　愜：滿意、合適。

註六一　拂其情：違背其情意。

註六二　塞其望：滿足其願望。

《芝蘭室隨筆》自序

江湖浪跡，覽百態之紛呈；滄海歸來，傷萬方之多難！觸於目者可憶，攖[註一]於心者難忘，深於情者足傳，悖[註二]於義者當貶，摘其事之足述，言之無傷者，不論古今中外，蒐羅[註三]筆底，其紀之也固宜。祇以疏懶成性，清狂猶昔，孤蹤落落[註四]，影儗[註五]寒梅，傲骨嶙嶙[註六]，趣[註七]同澹菊。

矧[註八]生亂世，難覓桃源，偏處湫居[註九]，愧對蘭室！舉目有河山之異，焉得閒情？騁懷無泉石之娛，更牽俗慮！進不得中原逐鹿，退不獲航海潛龍，用武無從，臨文有恨！祇贏得清風兩袖，殘卷一囊。煮字難療，吟懷愈惡[註一〇]！讀庾子山之賦[註一一]，哀盡江南！登王仲宣之樓[註一二]，望迷冀北[註一三]！文物湮沒，人境全非！藐是流離[註一四]，至於暮齒[註一五]。下帷蘇子[註一六]，重讀陰符[註一七]，解組張侯[註一八]，又著《金匱》[註一九]。問百世之絕學，誰是繼人？藏萬卷之遺廬，都付劫火！輒灑傷時之淚，常懷報國之思！茹苦[註二〇]訓兒，記家祭之無忘；抱殘[註二一]結侶，守吾道以南行[註二二]；不遇知音，寧安緘默[註二三]。如斯心境，本無意於操觚[註二四]；舊雨[註二五]忽來，竟促余以握管[註二六]。才非倚馬[註二七]，技等雕蟲，急就成章，蕪瑕難免[註二八]，所望攻錯剔疵[註二九]，固有賴於通人！祇求立論持正，可告諸於讀者。

註釋

註一　攖：接觸、擾亂。

註二　悖：違背。

註三　蒐羅：搜集。

註四　孤蹤落落：孤蹤，孤單寂寞。落落，對人冷淡、不易合群。左思〈詠史〉：「落落窮巷士，抱影守空廬。」

註五　儗：通擬，比照、比擬。

註六　傲骨嶙嶙：高傲不屈。嶙嶙，山崖突兀貌。

註七　趣：興味、趨向。

註八　矧：況且、另外、何況。

註九　偪處湫居：偪處，空間狹小、偪促。湫居，狹窄居所。

註一〇　吟懷愈惡：指心情愈來愈差。

註一一　庾子山之賦：南北朝・庾信〈哀江南賦〉。

註一二　王仲宣之樓：東漢・王粲〈登樓賦〉。

註一三　望迷冀北：望迷，眺望迷惘。冀北：冀州之北，今河北地區，盛產馬、也寓意人才薈萃之所或游牧地區。

註一四　藐是流離：藐，遠貌；流離，流落。意謂因戰亂，遠離故鄉，流落異地。

註一五　暮齒：晚年。

註一六　下帷蘇子：下帷，放下簾幕，寓意專心治學。蘇子，指刺股苦讀的蘇秦。唐・李觀〈與張宇侍御書〉：「不但以董生下帷，蘇子刺股而已。」

註一七　陰符：即〈太陰陰符〉，又稱〈太公陰符經〉，屬道家著作，是一本政治謀略書，傳為西周姜太公所作，據說蘇秦懸樑刺股苦讀此書有成，獲六國封相而衣錦還鄉。

註一八　解組張侯：解組，解下；組，組綬，指繫官印的繩綬。解綬，寓意辭官解下印綬。張侯，指張仲景，東漢南陽人，名機，仲景乃其字，舉孝廉，官至長沙太守，人稱張長沙，後世譽醫聖。稱張機為張侯乃罕見，大抵曾當地方太守，權勢等同地方諸侯。

註一九　金匱：張仲景著《傷寒雜病論》，內容分《傷寒論》及《金匱要略》兩部分。

註二〇　茹苦：吃苦。

註二一　抱殘：即抱殘守闕，抱著殘舊和守護闕漏的道理不放，篤信古道古學。《漢書．劉歆傳》：「猶欲抱殘守缺，挾恐見破之私意，而無從善服義之公心。」

註二二　吾道以南行：道，儒家道統學問。南行，南傳。北宋洛學家楊時，世稱龜山先生，承二程之學，傳入福建，開創理學道南系。《宋史．楊時傳》載：「時（楊時）調官不赴，以師禮見顥於潁昌，相得甚歡。其歸也，顥目送之曰：「吾道南矣。」

註二三　緘默：沉默不言。

註二四　操觚：執筆作文。《文選．陸機．文賦》：「或操觚以率爾，或含毛而邈然。」

註二五　舊雨：舊識朋友。

註二六　握管：執筆。

註二七　倚馬：倚馬，寓意文思敏捷，倚靠著戰馬，迅速之間，即可完成文章。南朝宋．劉義慶《世說新語．文學》：「桓宣武北征，袁虎時從，被責免官。會須露布文，喚袁倚馬前令作。手不輟筆，俄得七紙，殊可觀。東亭在側，極歎其才。」

註二八　蕪瑕：蕪，雜亂。瑕，瑕疵、缺點。

註二九　攻錯剔疵：攻錯，本指琢磨，後引申為借他人經驗來糾正自己的缺點。《詩經．小雅．鶴鳴》：「他山之石，可以攻錯。」剔疵，剔除、戒除；疵，錯誤。

《國父民初革命紀略》序

表彰前美註一，所以闡幽光也；昭垂後人，所以勵來茲註二也。然而良史難逢，詖辭註三易惑。一字翻成大錯，千里謬起毫釐。以舊弼註四而言黨魁，譏訣註五難免；以今人而紀近代，忌諱註六尤多。矧註七　國父，巨人也，革命，烈事也，王良執轡註八，實繁有徒註九；韓哀附輿註一〇，不乏其類；爛羊屠狗註一一之輩，位已顯侯註一二；攀龍附鳳之儔註一三，權傾要路註一四；或別江已離宗註一五，或數典而忘祖。値此日空谷之蘭已萎，問當年豐城之劍註一六誰尋？孰能百計追求乎泥爪註一七，而一坏註一八尚憶於典型註一九耶？迺註二〇葉子競生，以垂暮之春秋註二一，不忘故澤註二二，度劫餘之歲月，猶發新硎註二三，總胚胎於一陶註二四，極縯紛之千緒，秉司馬龍門之筆註二五，作董狐史鰌註二六之傳。事雖出於錯綜，道則唯以一貫；縱有涉於獎借註二七，要不離乎扢揚註二八；言非阿私註二九，文不訐隱註三〇。鑽既往之響註三一，蒐未發之楹註三二，握瑾瑜註三三，攘芬芷註三四，苟無君子之九能註三五，難成金石之一擲。以藏山之巨製註三六，求禿筆之一言，責以弁詞註三七，其何能卻，於是乎序。

註釋

註一　美：指美德善行。

註二　來茲：來年、今後。

註三　詖辭：不公或偏邪言論。

註四　舊弼：舊時輔佐之臣。

註五　譏訙：非議阿諛。

註六　忌諱：避忌、顧忌。

註七　矧：況且、另外、何況。

註八　王良執轡：王良，春秋時趙國善相馬及策騎能手，與秦國伯樂、九方皋齊名，是春秋時十大相馬師之一。轡，音痺，馬繮繩。《淮南子．覽冥訓》：「昔者王良，造父之御也，上車攝轡，馬為整齊而斂諧，投足調均，勞逸若一，心怡氣和，體便輕畢，安勞樂進，馳騖若滅，左右若鞭，周旋若環，世皆以之巧。」

註九　實繁有徒：實繁，實在繁多。徒，徒眾。《書經．仲虺之誥》：「簡賢附勢，實繁有徒。」

註一〇　韓哀附輿：韓哀，相傳古代發明馭馬術之人。附輿，附，通拊，駕也；輿，車輿。附輿，指駕車。漢．王褒〈聖主得賢臣頌〉：「王良執靶，韓哀附輿。」《三國志．蜀志．郤正傳》：「韓哀秉轡而馳名。」

註一一　爛羊屠狗：爛羊，指地位卑微者；或指濫封官爵。《後漢書．劉玄劉盆子列傳》：「灶下養，中郎將。爛羊胃，騎都尉，爛羊頭，關內侯。」屠狗，殺狗，指職業粗下。《史記．樊噲傳》：「舞陽侯噲者，沛人也。以屠狗為事，與高祖俱隱。」

註一二　顯侯：顯貴的高官。

註一三　攀龍附鳳之儔：趨附權貴，以獲權位或財富。儔，同類，朋輩。

註一四　權傾要路：權力可操控顯要位置。

註一五　別江已離宗：別江，別流，即支流也。離宗，離開主流。

註一六　豐城之劍：豐城，地名，在江西。古龍泉及太阿二把蓋世寶劍，深埋江西豐城地下，由地方官員雷煥掘地深四丈餘而得之。豐城劍寓意隱世人才有待識者發掘。《晉書．張華列傳》：「煥到縣，掘獄屋基，入地四丈餘，得一石函，光氣非常，中有雙劍，並刻題，一曰龍泉，一曰太阿。」

註一七　泥爪：泥，指雪泥，人生相遇如雪泥留爪印，消失於無形。宋．蘇軾〈和子由澠池懷舊〉：

「人生到處知何似？應似飛鴻踏雪泥。泥上偶然留指爪，鴻飛那復計東西。……」

註一八　一抔：指一抔黃土，墳墓也。

註一九　典型：也作典刑，舊法、常規、模範。宋．文天祥〈正氣歌〉：「哲人日已遠，典型在夙昔。」

註二〇　迺：居然、竟然。同乃。

註二一　垂暮之春秋：晚年。春秋，年歲。

註二二　故澤：舊時袍澤朋友。

註二三　猶發新硎：硎，音型，磨刀石。仍然展露新磨刀鋒，寓意仍有抱負展露才幹。

註二四　總胚胎於一陶：總，全部；胚胎，指陶瓷胚胎。一陶，在一窯中陶冶。寓意在同一教化之下。

註二五　秉司馬龍門之筆：秉，繼承。漢．司馬遷生於龍門，著《史記》。意謂繼承司馬遷史筆精神。

註二六　董狐史鰌：董狐，春秋時晉國史官，記史正直不阿，其記史名句「趙盾弒其君」。史鰌，春秋時，衛國著名諫官。

註二七　獎借：嘉勉推許。《宋史．李沆傳》：「獎借後進，嗜酒善謔，而好為詩。」

註二八　扢揚：張揚、發揚。

註二九　阿私：徇私、偏袒。

註三〇　文不許隱：訐，攻人陰私、面相斥罪。隱，指私密。意謂不以文辭攻擊別人私隱。

註三一　鑽既往之響：鑽，探索、鑽研。既往，過往。響，指本領、聲名。

註三二　蒐未發之楹：蒐，通搜、求索、尋找。未發，未公開。楹，楹語，指未公開的文字資料。

註三三　握瑾瑜：握，手握。瑾瑜，瑾與瑜皆美玉，寓意品德美好如玉。《楚辭．九章．懷沙》：「懷瑾握瑜兮，窮不得所示。」

註三四　攘芬芷：攘，同讓，容許、邀請。芬芷，香草，寓意賢臣、君子。

註三五　九能：九能之說，始於漢，指士大夫須具九種能力，涉及占卜、田獵、外交、軍事、喪禮、地理、祭祀等。《毛詩傳》曰：「建邦能命龜，田能施命，作器能銘，使能造命，升高能賦，師旅能誓，山川能說，喪紀能誄，祭祀能語，君子能此九者，可謂有德音，可以為大夫。」

註三六　以藏山之巨製：寓意深藏名山的珍貴文獻。不朽著述，有如寶藏，藏之名山，供有道之人發掘。《史記．太史公自序》：「序略，以拾遺補藝，成一家之言，厥協六經異傳，整齊百家雜語，藏之名山，副在京師，俟後世聖人君子。」巨製，指偉大的珍貴文獻。

註三七　弁詞：引文、序言。

《百首鴛鴦詞》序

世間韻事，多從苦海掙來；天下情潮，大抵中途掀起，能全終始，便是完人，永保芳菲[註一]，應留佳話。而況才嫺詠絮[註二]，氣量不讓於鬚眉[註三]；學騁文壇，情懷獨鍾乎巾幗；海外證三生之石[註四]，天涯守千秋之盟[註五]；先爲國而後成家，郎誠偉矣！既誨人[註六]而復教子，婦洵[註七]賢歟！有此大好姻緣，堪稱美滿。矧更艱辛飽飫[註八]，尤覺難能。就中別緒離愁，歷盡凄風苦雨，吟成百首，吐鴛鴦瀝膽[註九]之詞，腸斷九迴[註一〇]，灑杜鵑啼血之淚[註一一]，眞摯悱惻[註一二]，字字足見其藻思[註一三]，宛轉纏綿，聲聲不離乎風雅。本關雎之旨[註一四]，傳閫範[註一五]之賢，彌足彰德箴人[註一六]，有裨世道。若必炫奇沽譽[註一七]，毋待辭費。爰掇弁言[註一八]，以當紀實。

伍澄宇博士，上海名律師也。昔隨先總理致力革命，爲湖南黃克強、江左陳英士所激賞。其夫人勞偉雄女史，亦巾幗中之傑出者，相與共患難者久之，始訂婚於美，中經幾許波折，終諧嘉耦，而博士之鴛鴦詞，爲患難波折中之韻事也。集成，屬余爲之序。

註釋

註　一　芳菲：形容花草盛美芳香，寓意姻緣溫馨美滿。

註　二　才媚詠絮：媚，文靜優雅、熟練。詠絮，讚譽才女，源出東晉．謝道韞有詠絮之才。南北朝劉義慶《世說新語．言語》：「謝太傅寒雪日內集，與兒女講論文義。俄而雪驟，公欣然曰：『白雪紛紛何所似？』兄子胡兒曰：『撒鹽空中差可擬。』兄女曰：『未若柳絮因風起。』公大笑樂。」

註　三　鬚眉：男子的代稱。

註　四　三生之石：三生，指前生、今生、來生。三生石位於杭州靈隱寺與下天竺法鏡寺之間有一巨石，石上書有「三生石」三字。三生石的典故是記述唐代李源與高僧圓澤禪師相約來世相見的故事。有詩曰：「三生石上舊精魂，賞月吟風不要論。慚愧情人來相訪，此生雖異性長存。」

註　五　千秋之盟：千年盟約，寓意永不變志。

註　六　誨人：教導別人。

註　七　洵：實在。

註　八　飽飫：吃飽。

註　九　瀝膽：寓意竭盡精誠。

註一〇　腸斷九迴：形容極度哀傷，心緒焦慮不安，憂思迴環往復。漢．司馬遷〈報任少卿書〉：「是以腸一日而九回，居則忽忽若有所亡。」

註一一　灑杜鵑啼血之淚：杜鵑，即杜鵑鳥，其啼聲悽切，時見嘴角有血，故稱杜鵑啼血。張華注引漢．李膺《蜀志》：「戰國末，杜宇在蜀稱帝，號望帝，為蜀除水患有功。後年老禪位於相鱉靈，處西山而隱，修道而化為杜鵑鳥，春至則啼，啼至血出，聞者悽惻。」

註一二　悱惻：內心悲苦悽切、憂思抑鬱，心緒痛苦不能排遣。《楚辭．九歌．湘君》：「隱君思兮悱惻。」

註一三　藻思：做文章的才思。晉．陸機〈文賦〉：「或藻思綺合，清麗千眠。」

註一四　本關雎之旨：《詩經．國風．周南》的〈關雎〉篇，強調中庸之德，《論語．八佾》：「孔子曰『關雎樂而不淫，哀而不傷。』」

註一五　閫範：婦女德行，義近閨範。

註一六　彰德箴人：彰德，表揚道德。箴人，勸諫別人。

註一七　炫奇沽譽：炫奇，炫耀奇特。沽譽，用錢買名譽。

註一八　爰掇弁言：爰，於是。掇，摘取。弁言，引言。

代陳少白先生題《東南遊記》序

禹甸[註一]之大，東南之美，湖山排列，妙境天成，備為人用，而人反恝焉置之[註二]，淡然忘之，寧不為山靈[註三]笑我耶？僕自海外倦還，性耽泉石[註四]，對國內名勝，蓄意作汗漫遊[註五]久矣。然而人事之拘牽[註六]，時局之俶擾[註七]，交通之窒梗[註八]，均足殺遊興而阻轍跡[註九]，咫尺若天涯，鄉鄰等秦越[註一〇]，其憾[註一一]為何如耶！果也，心焉嚮往，有志竟成，際南北暢達之秋，正嶺表尚和之日，矧值粵漢鐵路車通，坦途便客，錢塘潮汛，美景招人，更有社備旅行，足資他鄉之導。儔逢[註一二]知己，尤快客中之情，十年蘊積[註一三]之壯遊，一旦見之於實現，其忭慰[註一四]又何如耶！於是引類呼朋，臨時結侶，但得志同道合，不拘熟魏生張[註一五]，既能聲應氣求，遑論鬚眉巾幗[註一六]？對此湖光山色，似有前緣；雖然鴻爪雪泥[註一七]，應留佳話。僕未能為太上之忘情[註一八]，爰為之記。

註釋

註一　禹甸：夏禹時，中國劃分九州，稱「禹甸」，後世以之代稱中國。《詩經・小雅・信南山》：「信彼南山，維禹甸之。」

註二　反赳焉置之：赳焉，即赳然，冷淡、冷漠。句意反而冷淡對待。

註三　山靈：山神。《文選・班固・東都賦》：「山靈護野，屬御方神。」李善註：「山靈，山神也。」

註四　性耽泉石：愛好沉溺山水遊。

註五　汗漫遊：世外之遊，形容遠遊之遊。《淮南子・道應訓》：「吾與汗漫期於九垓之外。」

註六　拘牽：拘束牽掛。

註七　俶擾：擾亂、騷亂。

註八　窒梗：阻塞。

註九　轍跡：車輪痕跡。《老子》：「善行無轍跡，善言無瑕讁。」

註一〇　秦越：春秋時代，秦國在西北，越國在東南，兩國相距遙遠。

註一一　憾：遺憾。

註一二　儔逢：伴侶。

註一三　蘊積：蘊藏積聚。

註一四　忭慰：愉悅。

註一五　熟魏生張：魏與張，皆姓氏。泛指熟客與生客。

註一六　鬚眉巾幗：男子與女子。

註一七　鴻爪雪泥：喻意往事消失於無形，不可追尋。宋．蘇軾〈和子由澠池懷舊〉：「人生到處知何似？應似飛鴻踏雪泥。泥上偶然留指爪，鴻飛那復計東西。……」

註一八　太上之忘情：太上忘情，太上，至高無上，可理解為道、為聖人；忘情，並非無情，是有情。

代秋桐女史擬《秋光詞草》序

天邊新雁，帶木葉以齊飛；簾外餘花，挹[註一]秋光而更美。砧聲[註二]伴月，似將羅袖俱清；竹影搖雲，紛共綺窗相映。蕙音琴閣[註三]，襲佩青青[註四]；梧冷簫樓[註五]，隨風嫋嫋。月中楊柳，猶迷隔岸之煙；露下芙蓉，爭艷西池之錦[註六]。將棄班姬之扇[註七]，暫息流光；非同宋玉之辭[註八]，詎[註九]悲秋氣？聊塡短韻，滿寫涼思。

註釋

註一　挹：牽引。

註二　砧聲：擣衣聲。

註三　蕙音琴閣：蕙音，純美樂音。琴閣，琴室。

註四　襲佩青青：襲，穿上。《文選．司馬相如．上林賦》：「襲朝服，乘法駕。」佩，玉佩。青青，翠綠。

註五　簫樓：即鳳樓，春秋時，秦穆公為其女弄玉築有鳳樓。弄玉好樂，蕭史吹簫作鳳鳴，公以女妻之。二人吹簫，鳳凰來集，後乘鳳飛升而去。事見漢．劉向《列仙傳》。

註　六　爭艷西池之錦：爭艷，競艷。西池之錦，西池，瑤池別稱，池中群芳奪目，花團錦簇。

註　七　將棄班姬之扇：班姬，即班婕妤（西元前四十八年～西元二年），西漢女辭賦家，善詩賦，有美德，是漢成帝的妃子，後失寵，作詩以紈扇自比，抒幽怨之情。後人以班姬詠扇比喻失寵。

註　八　非同宋玉之辭：宋玉之辭，指宋玉悲秋作品，如《楚辭．九辯》起句即悲秋，句曰：「悲哉！秋之為氣也。」

註　九　詎：豈、可。

《藻雅集》序

國有治亂，人有窮達，時有否泰，境有險夷，而皆不搖其志，不變其節者，唯士乃能。士而臻斯[註一]，其爲君子歟？友人信孚先生，夙蘊[註二]所學，待見白於世，詎逢離亂，莫展其長，寄隱市廛[註三]，以贍[註四]其生，而能持其志，屈其身，養其氣，以俟[註五]國之治時之泰境[註六]而達其道，人之所不堪者己安之，人之所難爲者己能之。既安且能，素位而行，是之謂君子，亦丈夫也。雖屠龍之技術未顯，亦猶尺蠖[註七]之求伸矣，何傷乎？較諸曳裾侯門[註八]，抵掌華屋[註九]，朝秦暮楚[註一〇]之徒，遠勝之矣！余由葉公竟生之介而識荊，撫誦陳葉之序而知君之爲人，承出藻雅藏冊，屬余題句於其中，因以眞能有爲四字爲君勗。有詢於余者曰：「何謂眞能？何謂有爲？」余曰：「能人之所不能，然後謂之眞能。爲人之所難爲，然後足以有爲。」並世君子，其亦以斯言爲不悖於理乎？如其然也，願相勉之。

甲申立春嶺南逸生伍朝柱識

註釋

註一　臻斯：臻，達至。斯、這、此。

註二　夙蘊：舊有蘊藏。

註三　市廛：市集民店區。廛，音前。

註四　贍：供給、供養。

註五　俟：等待。

註六　泰境：和平環境。

註七　尺蠖：蟲名，身長二、三寸，屈曲身體而行，以屈曲求伸展，寓意君子不遇，屈身求隱，以退為進，候時機展抱負。《周易．繫辭》：「尺蠖之屈，以求信（伸）也。」清．黃景仁：「事業寸陰惜，身名尺蠖潛。」

註八　曳裾侯門：依附權貴門下，仰人鼻息。曳，牽拉著；裾，衣服之後襟。意思謂手拉衫角，侍立一旁，聽候差遣，形同食客行為。唐．李白〈行路難〉三首之二：「彈劍作歌奏苦聲，曳裾王門不稱情。」「曳裾王門」義同「曳裾侯門」。

註九　抵掌華屋：抵掌，相談愉悅、擊掌。華屋，華麗豪宅。寓意獲權貴看上，華屋暢談。《戰國策．蘇秦以連橫說秦》：「見說趙王於華屋之下，抵掌而談，趙王大悅，封為武安君。」

註一〇　朝秦暮楚：戰國時代，秦楚爭霸，遊士因勢行事，時而向秦，時而向楚。寓意搖擺不定，唯利是圖。宋．晁補之《雞肋集．北渚亭賦》：「托生理於四方，固朝秦而暮楚。」

《驗方撮要》自序

治病猶治軍也，用藥猶用兵也，軍情不明而妄臨以兵，其挫敗必矣。病源尚昧[註一]，而妄施以藥，其危殆必然。是則治病須探其源，首重斷症之確，用藥須得其法，尤貴處方之精，蓋病有「寒熱虛實表裡」之殊，症分「標本緩急繁簡」之治，方備「君臣佐使導引」之用，藥配「先後輕重單複」之宜，善用之者如響斯應[註二]，誤用之者反易僨事[註三]，倘能對症施藥，病可霍然[註四]。苟或藥石誤投，症將惡化。醫家固權操生殺，而病者則命關存亡。病家當擇醫宜慎，而醫者則察病宜詳。若醫非精明，而病不嚴重，與其誤診用藥，毋寧缺於醫。夫缺於醫者尚可苟延，而誤於藥者甚至立斃，其利害之懸殊，誠不可以道里計也。

余於治學之餘，旁及醫藥之道，迄今歷四十年矣。目睹世人之誤於藥而殞命者多，缺於醫而喪生者少。每嘆操術不精之徒，輒貽[註五]病者無窮之害，而不知醫之道，浩如淵海，藥之用妙入毫毛，非潛心以尋求，暨觸類而旁通，不足以語此也。

漢代醫聖張氏仲景之言曰：「怪當今居世之士，曾不留神醫藥，精究方術……，乃勤求古訓，博采眾方。」又云：「觀今之醫，不念思求經旨註六，以演其所知，各承家技，終始順舊，省病問疾，務在口給，相對斯須註七，便處湯藥，按寸不及尺，握手不及足，人迎、趺陽，三部不參註八，動數發息註九，不滿五十。短期未知決診註一〇，九候曾無髣髴註一一，明堂闕庭註一二，盡不見察，可謂窺管註一三而已。夫能視死別生，實爲難矣！」準此以觀，則庸醫之殺人，有甚於操刀以搏者遠矣。蓋操刀而殺人，人猶有所拒，庸醫之殺人，每爲人所忽，證以仲聖註一四之所言，與余之所論，若合符節，時雖異而情則一也。

迄今科學日新，據形測病，西法迭有發明，而超跡探源，因微知著，古法亦多奧妙，既新舊學術，各有千秋，竟劃若鴻溝註一五，自成壁壘，罔思採長補短，共冶一爐，其何以對先哲而拯生民耶！苟能學貫中西，法融今古，術之上也。然而舉世泯棼註一六，競於逐利，能臻斯境，曾有幾人？彼貧病之儔註一七，醫藥不給，寧能付奇昂之代價，以延新法之西醫乎？即今悉索敝賦註一八，罄其六親之佽助註一九，免作苟全之孤注，而新法之西醫，又寧能必其一著手而病可回春乎？如曰不能，則貧病者先破其產，終被坐視其危而莫之拯矣！斯豈重視人道者之所爲也哉？〔伍註〕余主張：中醫科學化，西醫平民化，終須學術合流

余深慨夫近世貧病者之眾且苦，而誤於迻醫藥者更良足憫，復因古方多於牛毛，醫

家紛紜聚訟，彼蚩蚩者氓註二〇，攖疾註二一傍徨，莫衷一是。迨屢試罔效，病入膏肓註二二，不已殆乎！由於惻然慨憫之餘，逐有驗方撮要之編，提綱分類，附以說明，就簡去繁，便其檢考。自知譾陋註二三，聊貢一得之愚，還冀高明，資以他山之助。

嶺南逸叟伍中和識

註釋

註一　昧：不明白、昏暗。

註二　如響斯應：如有響聲，乃發出應聲。

註三　僨事：敗事。

註四　霍然：快速、突然。

註五　輒貽：總是貽害。

註六　經旨：指醫經旨要。

註七　斯須：片刻。

註八　三部不參：三部，中醫脈診術語，古代脈診有三部，上部人迎，在結喉旁頸動脈，中部寸口在腕動脈，下部趺陽，在足背脛前動脈。不參，不參考採用。

註　九　動數發息：脈診技巧。動數，脈搏跳動次數。發息，發出呼息，一呼一吸為一息，常人為二至三息。

註一〇　短期未知決診：短時間內未明決定診治。

註一一　九候曾無髣髴：九候，中醫脈診術語，指全身遍診法，中醫脈診三部，每部再細分天地人，稱九候。上部：天候按兩額動脈；人候按耳前動脈；地候按兩頰動脈。中部：天候按手太陰經以候肺；人候按足少陰經以候心；地候按手陽明經以候胸中之氣。下部：天候按足厥陰經以候肝；人候按足太陰經以候脾胃；地候按足少陰經以候腎。按：脈診三部九候今已鮮用。曾無髣髴，髣髴，依稀、好像、印象不清。意謂脈診草率，九候沒有髣髴印象，即全無印象。

註一二　明堂闕庭：明堂，鼻也；闕者，眉間也；庭者，顏也。

註一三　窺管：管中窺物，寓意見識狹小。

註一四　仲聖：東漢．張仲景，有醫聖之稱。

註一五　鴻溝：極大距離與誤解。

註一六　泯棼：紛亂貌。

註一七　儔：朋輩。

註一八　悉索敝賦：悉，全部。索，拿出。敝，謙稱自己。賦，田賦。

註一九　罄其六親之佽助：用光親屬幫助。罄，中空無物。佽助，幫助。

註二〇　彼蚩蚩者氓：彼，那。蚩蚩，憨厚、老實。氓，民也。

註二一　攖疾：患病。

註二二　病入膏肓：疾病發展至嚴重階段。寓意事情發展嚴重，無法解決。《左傳．成公十年》：「疾不可為也，在肓之上，膏之下，攻之不可，達之不及，藥不至焉，不可為也。」

註二三　譾陋：淺陋。

佛慈救護隊善緣啓 戊寅年四月二十日

國難亟矣！非萬眾一心，不足以挽危亡。寇勢猖矣！非同舟共濟，不足以資防護。慨自東夷搆釁註一，毒痛四海註二，中原板蕩註三，神州陸沉，敵機侵空，人畜與廬舍化燼。倭艟註四襲海，木石偕血肉揚灰，不論賢愚，咸罹浩劫，無分朝野，備受摧殘，天地爲愁，神人共憤。自維泱泱大國，詎甘逼凌註五。彼以戔戔狂夷註六，居然恣惡註七？惟有全民抗戰，始克圖存，苟能協力匡扶，終操勝算。然懍戰危兵凶註八，當謀救死扶傷，須知國破家亡，寧容旁觀助視。

矧值戰趨立體，原無前線後方之分，尤貴策動全群，豈有彼疆此界之別。敝隊夙承訓練，唯知服從，啣命來防，責在救護。睹生靈塗炭註九之苦，觸目傷心。本我佛慈悲之懷，竭智瘁力註一〇，尚恐鞭長莫及註一一，致虧一簣之功註一二，更虞綆短汲深註一三，難收九仞之效註一四。有備方可無患，居安尤當思危，因而將伯註一五頻呼，仗漢家之卜式註一六，或者犒軍解危，偏逢鄭國之弦高註一七，合眾志以成城，資群力而衛國，庶幾自固吾圉註一八。閭閻註一九無疾苦之呻，還祈廣結善緣。天地有好生之德，賴此仁漿義粟註二〇，宏濟註二一苦海之眾生，將來奏凱班師，難忘慈航之普渡註一二。

註釋

註一 東夷搆釁：東夷，指日本。搆釁，製造爭端、結怨、結仇。釁，音仞。

註二 毒痡四海：毒痡，毒害、殘害。《書．泰誓下》：「作威殺戮，毒痡四海。」四海，指中國。

註三 板蕩：動蕩。

註四 倭艟：日本船艦。

註五 詎甘逼凌：豈料甘於受欺凌壓迫。

註六 戔戔狂夷：戔戔，微細。狂夷，狂，猖狂；夷，日人。戔，音尖。

註七 恣惡：恣，放恣。惡，惡行。詞出恣凶稔惡，即窮凶極惡。

註八 然懍戰危兵凶：然，但是。懍，懼怕。戰危兵凶，戰事凶險可怕。漢．晁錯《言兵事疏》：「雖然，兵，兇器，危事也。故以大為小，以強為弱，在俛仰之間耳。」

註九 生靈塗炭：生靈，百姓。塗，泥沼；炭，炭火。人民陷於泥塘和火坑中。

註一〇 竭智瘁力：用盡智慧和力量。

註一一 鞭長莫及：力量有所不及。

註一二　致虧一簣之功：致，使得。虧一簣之功，虧，欠缺；一簣，一筐。典出「為山九仞，功虧一簣。」功，功效。

註一三　更虞綆短汲深：更虞，更加憂慮。綆短汲深，綆，水桶繩；汲，汲水。句意謂水桶繩短，池水深，汲水困難。喻能力不足，成事困難。《荀子．榮辱》：「短綆不可以汲深井之泉，知不幾者，不可與及聖人之言。」

註一四　九仞之效：九仞，一仞七尺，九仞即六十三尺。效，功效。

註一五　將伯：將，請求。伯，長者。

註一六　卜式：西漢時代，河南人，以牧羊致富。時朝廷與匈奴交戰，財政黜竭。卜式上書，願輸獻家財一半以助邊患，又出資賑濟災民，朝廷拜為左中郎，賜爵左庶長，並受到朝廷褒揚以作典範，後拜為齊王太傅，又轉任為丞相，也曾充任御史大夫，因不懂典章制度，調充為太子太傅，最後善終。

註一七　弦高：春秋時鄭國愛國商人，生卒不詳，以經商為業。秦往襲鄭，弦高遇於滑，乃以十二頭牛犒秦師，詐稱鄭國已知，且遽告於鄭，秦遂不敢襲鄭。

註一八　圍：防守地。

註一九　閭閻：鄉里、民間。《史記．平淮傳》：「守閭閻者食粱肉，為吏者長子孫，居官者以為號。」

註二〇　仁漿義粟：泛指善心者施捨米錢。《搜神記．楊伯雍》：「公汲水作義於阪頭，行者皆飲之。」《後漢書．黃昏傳》：「於是豐富之家各出義穀，助官稟貸。」

註二一　宏濟：大力匡救。

註二三　普渡：佛教、道教廣行佛法，以救眾生，如「普渡眾生」。又：民俗在中元節舉行的盂蘭盆會，稱「中元普渡」。

籌建卓旗山國父紀念塔弁言

紀懋績註一，彰遺烈，所以勗來茲者也。泐貞珉註二，播聲詩，所以垂後世者也。舍斯含義，焉用勞民？末俗澆漓註三，尤宜激勵註四。迺有哲人，曠世奇蹟，靈秀孕育，胡可不傳？《易・繫辭》不云乎：「天地之大德曰生，聖人之大寶曰位。」蓋其生也有自來，其位也有所本，始簡畢鉅註五，臻於大成，繼往開來，不虞中輟註六，則紀績彰烈註七，泐銘鐫功註八，俯仰古今，其義宏矣！而況革五千年之專制，肇註九四百兆之共和，則有國父孫先生巍然爲之崛興也。聞風有附義，冒死以圖功，則有隆都人士毅然爲之前驅也。其人其地，千秋足式註一〇，厥勳厥事註一一，萬劫難磨，矧我都人，曷能無紀？眾謀曰善！乃擇昔首義處卓旗山之陽，建塔豎碑，臚序往事，以揚革命之精神，而納群藜於軌物註一二，使咸守其矩範，竟厥全功，庶上慰　國父在天之靈，永啓後人圖成之道，則觸目以攖心註一三，撫今以追昔，其義豈徒紀念已哉！更不僅閭里註一四之榮，抑亦邦國之光也，朝野君子，盍亟註一五成之。

註釋

註一　懋績：懋，茂的古字，盛大。懋績，大功績。

註二　泐貞珉：泐，刻。貞，美好。珉，玉石。

註三　末俗澆漓：末俗，末世習俗。澆漓，浮薄不厚，寓意社會風氣及人情淡薄。

註四　激勵：激發與鼓勵。

註五　始簡畢鉅：開始簡單微小，結束時變得鉅大。《莊子．內篇．人間世》：「凡事亦然，始乎諒，常卒乎鄙，其作始也簡，其將畢也必巨。」

註六　不虞中輟：輟，停止。寓意不希望中途停止。

註七　紀績彰烈：紀績，記錄功績。彰烈，表彰功業。

註八　泐銘鐫功：泐銘，刻銘，永誌不忘，泐，音勒。鐫功，刻石記功，鐫，音專。

註九　肇：開始。

註一〇　足式：效法。

註一一　厥勳厥事：厥，其。其功勳及其事蹟。

註一二　群藜於軌物：群藜，群民、百姓。軌物，規範、準則。

註一三　擾心：擾亂心神。

註一四　閭里：鄉里。

註一五　盍亟：何不盡快。

天行社小引

人能自強，始足有爲。天道循環，所以不息。欲求自強必以健，欲求不息必以行。健爲體也，行乃用也。《易》曰：「天行健[註一]，君子以自強不息。」體乾[註二]之健，則自強而有爲，用之則行，斯循環而不息，是天道也，亦人道也，惟君子乃能之。

夫人非生而爲君子也，其所以成之者，是亦有道焉，不可倖而致也。其道爲何？曰：「習於良師也，交於益友也。師以導之，友以助之，切之磋之，輔之翼之，日親而月積之也，使趨於正而止於善，然後可列於君子之林。」

惟世途之泯泯[註三]，更人海之茫茫，孰是良師，誰爲益友？其將從何以求之乎？縱求則得之，而人事之牽羈[註四]，環境之拘囿[註五]，時機之參商[註六]，一日曝之，十日寒之[註七]，一人傳之[註八]，眾人咻之[註九]，偏蔽寡儔[註一〇]，閉門造車[註一一]，又奚能集其思而廣其益乎？

是故，父母生其身，師友益其智，勞苦鍛其體，憂患礪[註一二]其心，事業奮其志，時勢造其機，經歷增其能，而社交爲其基也。然人有賢愚之別，友有損益之分，才有大小之限，道有正邪之判，徒憑一人有限之智能，有涯之歲月，欲其人而能賢，友而能益，才而能大，道而能明，困而能解，事而能就，功而能成，德而能立，其何以行之哉？莊子曰：「以有涯隨無涯，殆矣[註一三]！」蓋人之生也有涯，而學問事業無涯，若竭蹶[註一四]以隨之，烏得以不殆？必藉社交爲津梁[註一五]，始克有成！第[註一六]社交泛泛，其何能澤？必集社友爲骨幹，始克有濟！於是夫由小而大，由寡而眾，由狹而廣，由近而遠，由卑而高，由散而集，由漸而久，庶足以集其思而廣其益矣！蘇軾〈次韻劉景文送錢蒙仲〉詩云：「寄語竹林社友，同書桂籍天倫[註一七]。」洵足尚歟[註一八]！此天行社之所由起也。

社名天行，類爲君子也。行必以健，圖其自強也，替天以行道，順天以行仁，此君子之德風，行之而不息也。既釋其名，又從而歌之，以作求友之嚶鳴[註一九]。歌曰：

立於人海之中，若雞群之唳鶴[註二〇]，出乎塵網之外，猶天馬之行空。其超然也，不受羈勒，其開明也，如日方中。交友貴其直，論道從其公，義篤乎互助，信全乎始終，才器不拘於文武，學術不限於西東，期相得而益彰，集群力以圖功，致知格物，融匯貫通，待人以敬，謀國以忠，精誠迺結，吾道不窮，願同氣之君子，盍奮發而爲雄。

註釋

註一　天行健：天，大自然。健，乾的古字為健，剛強勁健。

註二　體乾：履行天命。

註三　泯泯：昏昧貌。

註四　牽羈：牽累羈絆、拘束。

註五　拘囿：拘泥、侷限。

註六　參商：參星與商星。參星居西方，商星居東方。參商二星此出彼沒，不得相見。寓意關係對立，不相和睦。

註七　一日曝之，十日寒之：曝，曬。植物曬一天，凍十天，不可能生長。寓意做事缺乏恆心。

註八　一人傅之：一人給予教導。傅，教誨。

註九　眾人咻之：眾人給予吵鬧干擾。

註一〇　偏蔽寡儔：偏蔽，偏執不明。宋·羅大經《鶴林玉露》：「使荊公得從濂溪，沐浴於光風霽月之中，以消釋其偏蔽，則他日得君行道，必無新法之煩董苛。」寡儔，缺少同伴或朋輩。《三國志·魏志·董昭傳》：「曹公愍其守志清恪，離群寡儔，故特遣使江東。」

註一一　閉門造車：寓意主觀辦事，不顧實際。宋．朱熹《中庸或問》卷三：「古語所謂閉門造車，出門合轍，蓋言其法之同。」

註一二　礪：磨刀石。

註一三　殆矣：殆，陷入困境。矣，了、也。

註一四　蹣跚：行步顛仆，寓意力有不逮，勉強支持。

註一五　津梁：渡口橋梁。

註一六　第：第的異體字，次第也。

註一七　桂籍天倫：桂籍，科舉考試登第人員的名籍。天倫，父子兄弟家人。宋．蘇軾〈次韻劉景文送錢蒙仲〉：「寄語竹林社友，同書桂籍天倫。」

註一八　洵足尚歟：洵，實在；足，十足、可以；尚，仰慕、重視、誇耀；歟，文言文語氣助詞，如啊、了。

註一九　嚶鳴：鳥相和鳴，寓意朋友同氣相求。《詩．小雅．伐木》：「嚶其鳴矣，求其友聲。」

註二〇　雞群之唳鶴：唳鶴，鶴鳴聲音。寓意鶴立雞群。

夢會杜甫記 戊寅一九三八年季春

余昨得一奇夢，到一平生所未歷之峻嶺，嶺麓矗然一大叢林內，古刹中有老僧出迓[註一]，曰：「道友別來無恙耶？何以至於斯？」余曰：「偶步郊野，選勝低吟，不期而會，幸會，幸會，此是何處？」僧曰：「此爲『迴旋嶺』，刹爲『歸眞洞』。道友何善忘耶？」余曰：「自信記憶力頗強，凡所經之處，所見之人，所讀之書，無不深印腦際，獨對此洞茫然，殊不可解！」僧曰：「有何難解，久後自知，豈畋獵尚無所獲耶？」余憬然[註二]若有所悟，脫口欲詢之，忽見一儒服者入，道貌岸然[註三]，僧介余識之曰：「此詩聖杜工部也。君既郊吟而來，可與談詩，不必談禪了。」余以此儒者對揖，就坐，稍論詩文，旋見浮雲飛滿天際。僧曰：「天將雨，不如歸去，後會有期。」杜即偕僧送客，瀕別，杜又微吟其登高詩中句：「萬里悲秋常作客，百年多病獨登臺。」哦畢，曰：「倉卒無以贈，姑以舊作供君尋思。」余見句中有「百年」二字，又擬詢其何所指，是指人乎，抑指歲乎？但時已滿天風雲瀰漫。僧大呼曰：「速去去去，雨來了。」余驀地驚寤，醒後追思，歷歷在目，豈僧與杜對余此生歸宿有預示歟？忖厄運已過，乙運[註四]方臨，或不會即歸道山。然杜句涵義，亦有數解：一、秋爲肅殺之氣，萬里同悲爲此殺氣所威脅，而余尚常能作客於四方，〔伍註〕余生平確客居各地為多。留此多病之身，以登臺唱獨腳戲。〔伍註〕百年作人解。二、秋作蕭條之義解，當舉世蕭索之時，人生如過客，百年之歲月無多，值此「國家多病，社會多病，人民多病」之時，獨抱才華者，宜登臺爲之治病，了此「滿城風雨」之局勢，方可解脫歸眞。〔伍註〕此參以僧示之言及其所幻之境以使余悟。

雖夢幻無憑，不足介意，但才人通靈，古例甚多，一、紀昀（紀曉嵐）相傳爲火神托生，一夕，伊夢歸火神廟，座下司隸[註五]紛來謁，伊茫然不解，隸告曰：「主去未久，遽忘[註六]本性耶？」伊乃悟。又陳白沙應明帝召，北上，夜過嚴子陵釣臺，口占五言絕詩：「君爲功名來，我爲功名去，羞見先生面，黃昏過釣臺。」自以爲警句，後有人告以此詩與范仲淹詩全同，白沙曰：「有是哉？余見范集無此詩也。」迨伊臨逝前在佚聞中發現范有此作，遺言：「古人與我偶合，余詩亦不必入集中。」後其徒湛若水爲尚書，夢白沙先生，云伊爲范之後身。如此類事，不勝枚舉。余不仿照杜句尋思，以測其後，即以醫終百年之身，以醫人醫國，隨遇而安可也。既有此奇夢，祇宜默誌於心，視爲偶然，不可驚世駭俗。

註釋

註一　出迓：出外迎接。

註二　憬然：覺悟、醒悟。

註三　道貌岸然：道貌，正經嚴肅的樣貌。岸然，神態高傲。

註四　乙運：寓意運程利吉，蓋否極泰來。

註五　司隸：職官名。

註六　遽忘：突然忘記。

夢遊「歸眞洞」記

余於壬辰秋，小隱松山麓，東望洋帆，西採畦菊[註一]，晨聽松濤，暮倚修竹，把酒持螯[註二]，低吟朗讀，神遊太虛，夢尋蕉鹿[註三]，福地洞天，騁懷遊目，卉異葩奇[註四]，山重水曲，嶺號迴旋，蜿蜒起伏，洞稱歸眞，莊嚴馥郁[註五]，境界超凡，靈明陡復[註六]，皓月入懷，清風生腋[註七]，飛瀑洗塵，岫雲繞屋，疑佛疑仙，異世異俗，悟塵寰之萬端，渺滄海之一粟，念天地之悠悠，悵浮生之碌碌。〔伍註〕由夢的另一境界而復靈明，以求其至道。

信步而行，循階以升，岸然老納，合什來迎，肅容就座，神雋[註八]氣清，儼如舊識，讙[註九]若生平，語含妙諦，覺迷解癥[註一〇]，是眞是幻，爲虛爲盈，循環有數，變化無形，物極必反，物競必爭，人非太上，人孰忘情，瞬百年之光景，歷萬變之枯榮，魔與道競，慾由心生，以有涯之歲月，作無限之經營，云胡不殆[註一一]，其何以成，〔伍註〕修道、治學、處事，其理同。知足不辱，焉用浮名。釋氏之「明心見性」，儒家之「修身意誠」，殊軌同源，高而不傾[註一二]，願言吾子，善葆菁英[註一三]。〔伍註〕此段記與僧對話，承其開示也。

忽聞客至，未畢其詞，一老皤然[註一四]，其來施施，衲稱居士，乃杜拾遺，相與問訊，繼以言詩，一今一古，一釋一儒，或窮易理，或涉玄機，慨正義之淪喪，恨邪說之澆漓[註一五]，鬼魅幢幢[註一六]，雨雪霏霏，率獸食人[註一七]，人肉如糜[註一八]，哀彼烝民[註一九]，靡有孑遺[註二〇]，龜山峻而斧柯弱[註二一]，黃河濁而阿膠微[註二二]，物慾競誘[註二三]，河清難期[註二四]，吾道豈孤，知音實稀，相對太息，心愴淚垂。〔伍註〕此述三入對話與感嘆。

倏爾[註二五]雷鳴，落木蕭蕭，流水洶洶，虎嘯猿啼，嶽搖山動，劍作龍吟，竹驚鳴凰，豈天威之厲行，因民怨之沸涌[註二六]，抑久屈而求伸，爲眾生以解凍，萬類待蘇[註二七]，一鳴震懾[註二八]，資老驥[註二九]以前導，起潛龍以正統，應天順入，舉足輕重，僧促其行，杜以詩送，勗[註三〇]我暮年，鼓其餘勇，方念艱虞，豁然一夢。

註釋

註一　畦菊：菊圃。五十畝為一畦。

註二　螯：螃蟹。

註三　夢尋蕉鹿：即蕉鹿之夢，寓意人生得失無常，有如夢幻。蕉，同樵。《列子・周穆王》：「鄭人有薪於野者，遇駭鹿，御而擊之，斃之。恐人見之也，遽而藏諸隍中，覆之以蕉，不勝其喜。俄而遺其所藏之處，遂以為夢焉。」

註　四　卉異葩奇：珍奇難得的花草。卉，草。葩，花。

註　五　馥郁：香氣濃厚。

註　六　靈明陡復：靈明，神靈、神明、心靈。陡，突然。復，返也。

註　七　清風生腋：心情暢快，輕逸欲飛之感。唐·盧仝〈走筆謝孟諫議寄新茶詩〉：「七碗喫不得也，唯覺兩腋習習清風生。」

註　八　神雋：寓意精神雋朗。雋，通俊。

註　九　讙：喜悅，通歡。

註一〇　覺迷解癥：覺迷，覺悟而不迷惑。解癥，解除困難所在。

註一一　云胡不殆：云胡，為什麼。不殆，不懈怠、不危險。

註一二　不傾：不危、不倒。

註一三　善葆菁英：葆，同保，保持、掩藏。菁英，優秀人才或美好事物。

註一四　皤然：頭髮斑白。

註一五　澆漓：浮薄不厚，寓意社會風氣及人情淡薄。

註一六　鬼魅幢幢：鬼影搖晃，陰森恐怖的樣子。

註一七　率獸食人：率，率領，指率領猛獸食人，寓意統治者虐民。《孟子．梁惠王上》：「庖有肥肉，廄有肥馬；民有飢色，野有餓莩；此率獸而食人也。」

註一八　糜：粥，肉糜，肉粥。

註一九　烝民：百姓。《詩經．大雅．烝民》：「天生烝民，有物有則。」

註二〇　靡有孑遺：靡有，沒有。孑遺，遺留。

註二一　龜山峻而斧柯弱：龜山，在今山東新泰市。峻，高峻。斧柯，斧子。孔子為官時，季氏專政弄權，孔子欲諫不得，退而望魯，魯有龜山阻擋，好比季氏阻擋諫路，援琴歌曰：「予欲望魯兮，龜山蔽之，手無斧柯，奈龜山何。」

註二二　黃河濁而阿膠微：黃河水濁，自古亦然，傳聞投阿膠可使濁水變清，可惜，阿膠微小，不能發揮功效。寓意志欲澄清天下，可惜力量微小，欲為之事難成也。山東東阿縣有井，以其水煮膠，名阿膠，能止濁流。（《抱朴子》）不過，〈哀江南賦〉則說：「阿膠不能止黃河之濁。」

註二三　物慾競誘：物質慾念，爭相誘惑貪者。

註二四　河清難期：寓意黃河水清無期。

註二五　倏爾：形容迅速，時間短暫。

註二六　民怨之沸涌：即民怨沸騰。

註二七　蘇：蘇醒，通甦。

註二八　懵：糊塗無知。

註二九　老驥：老駿馬。

註三〇　勗：鼓勵、勉勵。

祭戰場災區死難軍民文

維戊寅年夏五月望日，新會伍百年致祭戰場災區死難軍民之靈曰：「惟靈降誕亞陸，劫運斯膺[註一]，鏖戰[註二]神州，遭時不利，或捐軀於急難，或畢命於淫威，或殉於戎馬之間，魂隨風蕩，或殃及池魚之列，骨暴灰揚，飽嘗風鶴之驚[註三]，卒攖沙蟲之劫[註四]。悲夫溯自戰端甫啓[註五]，生命輕於鴻毛，殺戒頻開，死傷甚於狼籍[註六]，戰愈久而災區袤[註七]，械越精而人命危，列肢堪以成林，積血因而爲壑[註八]。

嗚呼，哀哉！而彼鬥智角力，無非殘民，逞凶恃強，不外爭地。戮萬千無辜之赤子，猶詡[註九]神機，將億兆之蒼生，竟投鬼闕[註一〇]。同爲人類，忍傷天和[註一一]，莫計賢愚，慘遭荼毒[註一二]。

嗚呼，哀哉！矧以咸屬黃種，抑又同文，詎肯貽笑[註一三]白人，徒滋[註一四]他族。數典本相傳一脈，奚事鬩牆[註一五]？論理當互助聯盟，使成犄角[註一六]。迺竟爭城肇釁[註一七]，自撤藩籬，居然掠地殺人，甘燃其豆[註一八]。

嗚呼，哀哉！僕既矜[註一九]此黃魂，憐君白骨，痛遺骸之有恨，悲掩骼[註二〇]之無從，壯士不還，薤露註二一歌送終之曲，幽靈誰託？慈雲度極樂之方，仗佛法以解煩冤，作斯文而平諸厲，靈其不昧註二二，望鑒斯誠。

吁嗟註二三，縱際明時註二四，誰能免死，況當亂世，何惜殘生。寄此殘生於塵寰註二五，歷無數之夢境，即以千賢百哲，畢生贏得虛名；五帝三皇，轉瞬已成陳跡。老病死苦，人所難逃，離合悲歡，事所常有。顏殤彭壽註二六，撒手註二七同別紅塵，文德武功，離魂即歸黃土。可知有生必死，何足動於心。無色不空，仍終歸於幻，能喻斯旨，即爲達觀。余既爲釋死生之因，而更爲致祭之曲，其辭曰：

丁註二八末世之劫運兮，實命生之不辰。本同根而相煎兮，禍陡起乎東鄰註二九。天方醉其憒憒兮註三〇，以鶉首而賜秦註三一。降此鞠訩註三二於亞陸兮，胡造物之不仁。戰幕開兮苦斯民，時不利兮亡其身。覽戰場災區之廣袤註三三兮，浩浩乎其無垠註三四。水戰兮血濺江濱，陸戰兮骨染沙塵。惟空襲之尤烈兮，哀死傷之頻頻，震天而動地兮，聲又驚乎鬼神。焚石而及於玉兮，拔木掀乎草茵，人命賤於蜉蝣兮，傷肝惱之紛陳，無分貴賤與智愚兮，更遑論乎富貧。人禽廬墓相與同盡兮，逞獸性而不馴。本無辜而遭戮兮，究殺之爲何因。國際法理均無足恃兮，痛人道之沉淪。生當亂世而莫可逭註三五兮，後死者將何以爲人。唯逝者其已矣兮，得解脫而歸眞，俟大難之既平兮，將表之以貞珉。登西臺而慟哭兮註三六，血淚沾乎衣巾。養生葬死之無從兮，恨未展乎經綸。恤大道其將絕兮，懸一髮以千鈞。疾末世而莫之拯兮，緣傲骨之嶙嶙。世與我如相遺兮，抱殘篇以自珍。余固知謇謇註三七之爲患兮，歎非時而有麟註三八。彼器註三九逆之熾盛兮，更爲虎而作倀註四〇。葆嘉禾與蘭蕙兮，當艾蔓而去榛註四一。倘人心之未死兮，盍嚐膽而臥薪註四二。挽劫運於阽危註四三兮，是所望於群倫。懲前失而毖後註四四兮，謀除舊而布新。弔死者之不辜兮，又自惜其蹇屯註四五。惟草木之零落兮，猶足擬乎松菊。經雪霜之肅殺兮，知天地之將春。苟靈爽其不昧兮，將式憑乎明禋註四六。鑒其誠以來饗註四七兮，治馨香而咢註四八申。

註釋

註一　斯膺：斯，乃、就、盡。膺，承受。

註二　鏖戰：激戰、苦戰。

註三　風鶴之驚：形容疑懼惶恐，自相驚擾。

註四　卒攖沙蟲之劫：卒攖，最後觸上。沙蟲之劫，沙蟲，指死於戰亂的百姓。晉．葛洪《抱朴子》：「周穆王南征，一軍盡化，君子為猿為鶴，小人為蟲為沙。」後人凡遇兵燹之禍，每喻為猿鶴沙蟲之劫。

註　五　戰端甫啟：戰端，戰爭事端。甫啟，剛剛開打。

註　六　狼籍：同狼藉，亂七八糟的樣子。

註　七　衺：南與北。

註　八　壑：丘壑、深谷。

註　九　詡：誇口、大言。

註一〇　鬼闕：鬼殿。闕，宮闕、城闕。

註一一　天和：大自然和順之理，萬物以和為貴。

註一二　荼毒：指殘害百姓，傷害一切生命。《尚書・湯誥》：「罹其凶害，弗忍荼毒。」

註一三　貽笑：猶見笑。

註一四　徒滋：只是滋擾。

註一五　奚事鬩牆：奚事，何事。鬩牆，指兄弟不和。《詩經・小雅・常棣》：「比喻兄弟鬩於牆，外禦其務。」鬩，音益，吵鬧。

註一六　犄角：掎，拉足。角，抓角。犄角，喻兩邊彼此呼應，共同夾擊對方。《左傳・襄公十四年》：「譬如捕鹿，晉人角之，諸戎掎之，」

註一七　肇釁：挑起爭端。釁，音仞。

註一八　甘燃萁豆：甘願兄弟手足相殘，十分悲痛。曹植〈七步詩〉：「煮豆燃豆萁，豆在釜中泣。本是同根生，相煎何太急？」

註一九　矜：矜持。

註二〇　掩骼：掩埋暴露的尸骨。《禮記．月令》：「毋聚大眾，毋置城郭，掩骼埋胔。」

註二一　薤露：古代送葬輓歌。歌辭曰：「薤上露，何易晞。露晞明朝更復落，人死一去何時歸。」此歌為兩漢作品，作者佚名，傳為田橫死後，其門客哀悼其死而作此輓歌。

註二二　不昧：不晦暗、明亮。

註二三　吁嗟：感嘆詞，哀嘆、嘆息。

註二四　縱際明時：縱使在政治清明時代。

註二五　塵寰：塵世、人世間。

註二六　顏殤彭壽：殤，命短。顏殤，顏回早死，孔子傷痛甚，哀痛說：「噫！天喪予！天喪予！」壽，長壽，彭，彭祖，上古神話傳說人物，年壽八百。

註二七　撒手：鬆手，指死亡。

註二八　丁：當、遭逢。

註二九　東鄰：指日本。

註三〇　天方醉其憒憒兮：天方醉，天帝方醉。憒憒，昏庸、糊塗。

註三一　以鶉首而賜秦：鶉首，星次名，指朱鳥七宿中的井宿和鬼宿，秦地分野。古傳天帝與秦繆公暢飲而醉，秦繆公獲賞賜鶉首，所屬土地位置歸秦。庾信〈哀江南賦〉：「以鶉首而賜秦，天何為而此醉。」

註三二　鞠訩：窮凶、極凶、寓意巨大的災禍。鞠通鞫。《詩．小雅．節南山》：「昊天不傭，降此鞠訩。」

註三三　廣袤：土地面積，東西稱廣，南北稱袤。

註三四　無垠：廣闊無邊。

註三五　逭：逃避。

註三六　登西臺而慟哭兮：西臺，臺名，在浙江省富春山，宋末文天祥抗元兵敗被害在西臺。八年後，文天祥部屬謝翱與友人登臺痛哭拜祭，並作輓詞〈登西臺慟哭記〉以抒發亡國之痛及對文天祥崇敬之情。寓意以輓文天祥心情來憑弔故人。

註三七　謇謇：忠貞、正直。《楚辭・屈原・離騷》：「余固知謇謇之為患兮，忍而不能舍也。」

註三八　歎非時而有麟：麟乃瑞獸，見於聖人盛平之世，亂世見之，不吉也。唐・韓愈〈獲麟解〉：「麟之出，必有聖人在乎位，麟為聖人出也。」「麟之所以為麟者，以德不以形。若麟之出不待聖人，則謂之不祥也亦宜。」

註三九　奰：肆亂。北周・庾信〈哀江南賦〉：「既奸回之奰逆，終不悅於仁。」奰，音備。

註四〇　為虎而作倀：倀，指被虎咬死的人，即助紂為虐。

註四一　榛：叢生的草木，如荊榛。

註四二　盍嚐膽而臥薪：盍，為何、合。嚐膽而臥薪，寓刻苦自勵，典出臥薪嚐膽。《史記・越王勾踐世家》：「越王勾踐返國，乃苦身焦思，置膽於坐，坐臥即仰膽，飲食亦嚐膽也。」

註四三　阽危：面臨危險。漢・賈誼〈說積貯〉：「安有為天下阽危者若是，而上不驚者。」

註四四　懲前失而毖後：懲，警戒。毖，謹慎。典出懲前毖後，意謂把過去的錯誤引為教訓，以後謹慎行事。《詩經・周頌・小毖》：「予其懲而毖後患。」

註四五　蹇屯：二個卦名，即蹇卦和屯卦，代表艱難困苦，不順利。

註四六　將式憑乎明禋：式憑，依靠，依附。明禋，明，潔；禋，敬也，指明潔誠敬的獻享。

註四七　饗：享用飲食。

註四八　治馨香而斝申：治馨香，寓意治理政務成功，受民歡迎。斝，古代三腳酒杯。音假。申，說明、申述。

致少川先生書

少老道席註一：夙仰註二威儀，久懷盛德註三，重瞻風采，足慰生平。値此天下泯棼註四，神州多難，不逢烈火，誰識芳蘭，未遇疾風，豈知勁草。當危疑震撼之局，正磨光刮垢註五之機。有一藝微長，尚思報國。況千秋大業，何肯後人！苟蒙不棄愚庸，自當竭其駑鈍註六，或者牛溲馬勃註七，亦爲良醫之供。未必結綠青萍註八，始當大匠之選註九，除由某代表面陳外，謹拜書以聞，伏維亮察不宣！

註釋

註一　道席：書信用語，表示尊敬對方。

註二　夙仰：早已敬仰。

註三　盛德：品德高尚。

註四　泯棼：紛亂。《書·呂刑》：「民興胥漸，泯泯棼棼。」

註五　磨光刮垢：將缺點除去，使光芒顯現。唐·韓愈〈進學解〉：「爬羅剔抉，刮垢磨光。」

註六　駑鈍：頭腦遲鈍。

註　七　牛溲馬勃：牛溲，牛尿，有清熱作用。馬勃，馬糞，入藥有消炎解毒作用。

註　八　結綠青萍：結綠，美玉名。青萍，寶劍名。

註　九　大匠之選：大匠，指春秋楚人卞和，善相玉及春秋薛人薛燭，善相劍。

上幄公書 丙子年九月撰於羊石

幄公總座麾下[註一]：粵自光復而後，民國成立，二十有五年，民無生息之機，國有杌陧[註二]之象，上下交困，朝野騷然。現雖統一告成，庶政更新，而百端待舉，治絲仍棼[註三]，不有善政，曷慰民望，必也示民以信，使民以義，取諸民而不病民，則民樂輸[註四]，施諸民而不擾民，則民樂從，視民之好惡，以決其採舍，視民之飢溺[註五]，如己之身受。夫如是，始能收拾人心，效死而不辭，培養國力，合群以禦侮，救國圖強之道，其在斯乎！惟當軸領袖，雖宵旰憂勞[註六]，不遑寧處，但政務蝟集[註七]，瘁[註八]一人之智力，或有時而窮，不能不廣集群材，共支大廈，苐遺才在野[註九]，孰從而求之，唯賴左右，輔弼[註一〇]之賢，本去私爲公之念，舉賢選能，唯恐不速，虛心博訪，惟恐不周，然後可以得人，得人然後可以圖治。昔韓昌黎有云：「占小善者率以錄，名一藝者無不庸。」則領袖之玉尺提衡[註一一]，量材器使[註一二]，又不能不以汪汪大度出之。及其繼也，去瑕取瑜[註一三]，汰礫存金[註一四]，知賢即用，用賢當信，知讒[註一五]即去，去讒當速，功有賞，罪有刑，必以其道，恩必厚，威不刻，始足服人。能如是，天下事尚可爲也。東西各國，亦於是觀聽隨之。

愚直言之，幸垂察焉。〔伍註〕此函在總司令邀晤後而發。

註釋

註一　麾下：軍隊中，部下對帥將的自稱用語。麾，指揮旗幟。

註二　杌隉：動盪不安。《書・秦誓》：「邦之杌隉，日由一人。」杌，音勿。隉，音臬。

註三　治絲仍棼：治絲找不到絲頭，越弄越亂，寓意行事無方，越理越亂。《左傳・隱公四年》：「臣聞以德和民，不聞以亂，以亂，猶治絲而棼之也。」棼，紛亂。

註四　樂輸：樂意捐輸。

註五　飢溺：寓意生活痛苦。《孟子・離婁下》：「禹思天下有溺者，由己溺之也；稷思天下有飢者，由己飢之也，是以如是其急也。」

註六　宵旰憂勞：宵，夜間。旰，天晚。寓意宵衣旰食，非常勞苦。形容勤於政事。

註七　蝟集：如刺蝟毛般聚集，比喻繁多而叢雜。

註八　瘁：勞累。

註九　苐遺才在野：苐，同第，但也。遺才，未遇的人才。在野，在民間。

註一〇　輔弼：輔助。

註一一　玉尺提衡：玉尺，指以玉尺量才。唐・李白〈上清寶鼎〉詩：「仙人持玉尺，度君多少才；玉尺不可盡，君才無時休。」清・金人瑞〈長夏讀杜詩有懷明人法師卻寄二十四韻〉：「金聲齊雅頌，玉尺辨毫釐。」提衡，以秤稱物，以平輕重，引申為抗衡。另一義謂簡選官吏。

註一二　量材器使：量才使用。

註一三　去瑕取瑜：去缺點，選優點。寓意精選人才。

註一四　汰礫存金：去礫石，選金砂。

註一五　讒：讒言。

答子猷先生書

子猷我兄足下：久違矩範註一，馳繫良殷註二。忽奉雲椷註三，如親謦欬註四。藉悉喬遷註五樂境（伍註：怡樂村。），足怡註六恆健之身，將思鵲趨華堂註七，陡來註八不速之客，或者故人誼厚，肯容索飲之劉伶註九，衹慚寒士才疏，敢作題詩之李白。此日書傳雁足，先達愚忱註一〇。他年躬登龍門，重申賀悃註一一，此復并頌福安！

註釋

註　一　矩範：法式、典範。

註　二　馳系良殷：馳繫，即馳念、掛念。良殷，非常殷切。

註　三　雲椷：雲椷，寓意信箋。椷同箋。

註　四　謦欬：談笑與行為。《莊子．徐無鬼》：「莫以真人之言，謦欬吾君之側乎！」

註　五　喬遷：遷居。

註　六　怡：怡養。

註　七　將思鵲趨華堂：將思，將會思考。鵲趨華堂，以喜鵲自喻飛臨你的華宅。

註　八　陡來：突來。

註　九　劉伶：劉伶（二二一～三〇〇），字伯倫，沛國人，魏晉名士，竹林七賢之一，嗜酒，有醉侯之稱，著有名篇〈酒德頌〉。

註一〇　愚忱：謙稱自己。忱，真誠的情意。

註一一　賀悃：祝賀誠意。

致毅南學長書

毅南學長有道：廿年久暌註一，萬里神馳，適別新都，益懷舊雨。迨註二向故人問訊註三，始知燕未歸來。繼聆喆嗣還音註四，深喜鳳非凡品，睹庭階之玉樹註五，彌覺忻忻註六。翹海外之雲山，倍增縈繫註七，惟祝一帆風順，早衣錦以還鄉，未必三徑雲封註八，因迷途而戀棧。

僕也，宦遊羊石，干祿註九金陵，佐幕府於元戎，未嫻註一〇軍旅，擁書城以立法，無補民權，雖志欲濟夫蒼生，而澤未及赤子，撫躬循省註一一，慚疚殊常註一二。正動退思，遽遭國難，倚劍灑傷時之淚，走筆成討賊之文，及至傀儡登場，木屐註一三踩縱於三島，蠻夷問鼎註一四，鐵蹄踐踏於兩京，迫而橐筆南還註一五，藉收文化抗戰之後勤，以俟揮戈北指，願爲武力殲敵之前驅。邇註一六從事於救國工作之餘，未忘情於還山自脩之道。

刎離家十載，而先君之窀穸註一七未安，有子一人，而後輩之詩禮未學，盡葬死養生之責，免獲罪於名教註一八，竟承先啓後之功，始無悖乎王道。斯行歸里，別具苦衷，既非假泉石以鳴高，亦不因風潮而避險。數生平之知己，誰是解人註一九，論磊落之襟懷，君誠長者。爰披肝膽註二〇，質諸高明，竚俟綸音註二一，以開茅塞。

註釋

註一　久暌：好久未見。

註二　迨：等到。

註三　問訊：問候。

註四　喆嗣還音：喆嗣，尊稱別人兒子。還音，回覆音訊。

註五　庭階之玉樹：讚譽別人子弟優秀出息。《晉書．謝安傳》：「譬如芝蘭玉樹，欲使其生於庭階耳。」

註六　彌覺忻忻：更覺欣喜愉快。

註七　縈繫：牽掛。

註八　三徑雲封：三徑，徑，小路，隱士所經之路。晉．陶淵明〈歸去來辭〉：「三徑就荒，松菊猶存。」雲封，指雲霧封路。

註九　干祿：取功名利祿。《論語．為政》：「子張學干祿。子曰多聞闕疑，慎言其餘，則寡尤。」

註一〇　未嫻：未熟練。

註一一　撫躬循省：即反躬自省，自我檢討。

註一二　慚疚殊常：慚愧內疚非常。

註一三　木屐：指日人。

註一四　蠻夷問鼎：蠻夷，指華夏地區以外的四夷，統稱蠻夷，即東夷、南蠻、西戎、北狄。《國語．楚語下》：「若夫譁囂之美，楚雖蠻夷，不能寶也。」問鼎，鼎乃國寶，夏禹鑄九鼎代表九州，擁有九鼎者為君。問鼎，寓意圖謀國鼎稱帝。《左傳．宣公三年》：「楚子伐陸渾之戎，遂至於雒，觀兵於周疆。定王使王孫滿勞楚子。楚子問鼎之大小輕重焉。」

註一五　櫜筆南還：古代書史小吏，手持囊櫜，簪筆於頭侍立於帝王大臣左右，以筆隨時記事。寓意收拾筆墨行裝，返回嶺南。

註一六　邇：更。

註一七　窀穸：音諄夕，墓穴。《後漢書．劉陶傳》：「死者悲於窀穸，生者戚於朝野。」

註一八　名教：名分與教化，指儒家道德觀。

註一九　解人：善解人意的人。

註二〇　爰披肝膽：爰，於是。披肝膽，寓意真誠相待。

註二一　竚俟綸音：竚，立。俟，待也。綸音，古代稱皇帝的聖旨。後以用作尊敬對方音訊的用語。

答溫士先生書

溫士我兄如握：頃奉還雲[註一]，不遺舊雨[註二]，更承示羅軍長佳什，拜誦數四，欽慰殊常，默念斯人，悠然神往，世人震於羅將軍之武功，而景慕者，以爲赳赳桓桓[註三]，風雲叱咤[註四]而已，庸詎知以虎將而兼詩伯[註五]，允武允文，資鴻達而光藝林[註六]，宜新宜舊，集名虎嘯，詩實龍吟，字凝珠璣[註七]，聲諧金石，眞摯懇切，不失詩人敦厚之風。羅將軍有句云：「滿懷霖雨志，愧未澤蒼生。」豪邁纏綿，更兼國士溫文之雅。羊叔子之輕裘緩帶[註八]，岳忠武之偉抱雄風[註九]，不圖復見於今之世歟；具此卓識英姿，名副其實，其亦天地之靈秀所鍾歟。吾兄嘗論其「辨理眞而待人誠」，今睹其詩，足證非過情之譽。詩以言志，當可想見其爲人當何如也。惜獲片麟[註一〇]，而未窺全豹[註一一]，竊以爲憾焉！其能假我以全部之欣賞乎？若是，則年之幸也！抑尤有進者，苟彙而集之，付諸剞劂[註一二]，藉以箴末世而揚風雅，其裨於嶺表[註一三]之文化世道，誠非尠[註一四]焉。豈徒欣賞辭藻，表彰詩才已也；若謂炫其邀譽[註一五]，更失之遠矣。未審高明以爲如何？年雖不才，然目睹國學之沉淪，民德之涼薄，惴惴焉怵斯文之將墜[註一六]，思有以隨先進同道之後，作存亡守缺之謀，茲舉也，匪異人任註一七，願以此質諸君子。此復，並頌文祺！

註釋

註　一　頃奉還雲：剛接回信。

註　二　不遺舊雨：不棄故人。

註　三　赳赳桓桓：形容威武雄健貌。《詩．周南．兔罝》：「赳赳武夫，公侯干城。」又《詩．魯頌．泮水》：「桓桓於征，狄彼東南。」

註　四　風雲叱咤：形容聲勢盛大，威風凜凜的樣子。

註　五　詩伯：詩壇領袖。

註　六　資鴻達而光藝林：資，資質。鴻達，才識廣博通達。光藝林，聲名發光於文壇。

註　七　珠璣：珠寶玉石。《漢書．東方朔傳》：「宮人簪瑇瑁，垂珠璣，設戲車，教馳逐。」

註　八　羊叔子之輕裘緩帶：羊叔子，即羊祜（二二一～二七八），叔子，乃其字，魏晉著名軍事家、政治家、文學家，一代名將。輕裘緩帶，其人在軍中經常穿上輕暖的皮衣與繫上寬大的衣帶。寓意態度閒適，從容鎮定。

註　九　岳忠武之偉抱雄風：岳忠武，即岳飛（一一〇三～一一四二），岳飛遇害多年，到宋孝宗時獲得平反，追謚武穆，後追贈太師，追封鄂王，改謚忠武，後世稱岳武穆、武穆王、岳忠武王，有《岳忠武王文集》傳世。偉抱，遠大抱負。雄風，英雄風範。

註一〇　片鱗：寓意極小部分。

註一一　全豹：全面、全體。

註一二　剞劂：雕刻用的曲刀，寓意印行。

註一三　嶺表：指嶺南地區。

註一四　尠：罕見、稀有。

註一五　邀譽：求取聲譽。

註一六　惴惴焉怵斯文之將墜：惴惴，憂慮、恐懼。怵，憂心、害怕。斯文之將墜，指文化墜落。

註一七　匪異人任：匪，同非。異人，別人。任。即不假手別人。左丘明《左傳・襄公二年》：「楚君以鄭故，親集矢於其目，非異人任，寡人也。」

答天鳴先生書

天鳴二兄荃察[註一]：昔承寵召，獲親謦欬[註二]，辱叨獎飾[註三]，足銘殷注[註四]之情，示以周行[註五]，洵屬不磨[註六]之論。邇來下帷稽籍[註七]，閉戶著書，擬輯應世文集面世，舉凡法律政治經濟之考據，與夫公牘史乘文藝之研求，靡不蒐集周詳，條分縷晰[註八]，使世人足資借鏡，學子引為津梁[註九]，冀砭濁世而彰前型[註一〇]，順潮流而策後效，或於文化教育，不無少補焉，惟付諸梨棗[註一一]，仍待時機，更懼才疏腹儉[註一二]，貽笑儒林，所以屢編而輒止者也。誠如韓退之所云：「世之齪齪[註一三]者，既不足以語之，磊落奇偉[註一四]之人，又不能聽焉，則信乎命之奇也。」君子讀史至此，所以為之掩卷長嘆而有所感焉！年雖駑駘[註一五]，然尚能以禮自持，詎[註一六]一入世網，即往往為人所陷，而吠影吠聲[註一七]之徒，又從而滋謠諑[註一八]，惟有止謗於自修，以明其志，古人所謂：「宵行者，能為無奸，而不能令犬無吠。」予亦云然！益服兄見之明深，有契[註一九]乎古人之理也。謹覆，並叩道安！

註釋

註一　荃察：荃，即蓀，香草名，比喻國君。察，明察。荃察，舊時書信敬稱對方用語，表示請求原諒的敬辭。《離騷》：「荃不察余之中情兮。」

註二　謦欬：談笑與行為。《莊子．徐無鬼》：「莫以真人之言，謦欬吾君之側乎！」

註三　辱叨獎飾：辱叨，忝獲。獎飾，獎譽。

註四　足銘殷注：足銘，足可銘記。殷注，殷切關注。

註五　周行：正道、大道。

註六　洵屬不磨：實在屬於不可磨滅。

註七　下帷稽籍：下帷，垂下窗帷，寓意閉戶。稽籍，翻查典籍。

註八　條分縷晰：分析細密，條理清晰。

註九　津梁：渡口上的橋樑。

註一〇　冀砭濁世而彰前型：冀，希望。砭濁世，指出亂世缺點。彰前型，表彰以前法式。

註一一　付諸梨棗：刊印書籍。

註一二　腹儉：學問淺少。

註一三　齪齪：拘謹。《史記．貨殖傳》：「而鄒、魯濱洙、泗，猶有周公遺風，俗好儒，備於禮，故其民齪齪。」齪，音速。

註一四　磊落奇偉：磊落，形容胸懷坦白；奇偉，奇特偉大。

註一五　駑駘：駑、駘皆資質低劣馬。比喻才能低下庸劣。

註一六　詎：豈料。

註一七　吠影吠聲：寓意不察實情，跟著別人後面盲目附和。

註一八　謠諑：造謠毀謗。

註一九　契：切合。

致伯塤先生昆季唁函

伯塤先生昆季諸兄禮鑒註一：邇自京還，陡見哀訃註二，驚諗註三金萱風冷註四，慈竹霜摧註五，震悼莫名！伏思母範傳芳註六，坤儀秉淑註七，晟成令器註八，蔚爲國光，膺翟茀之尊榮註九，將板輿而迎養註一〇，方冀康彊逢吉註一一，耄耋頤期註一二，乃愛日方長，而婺星忽隕註一三，閣下孝思純篤，大故遽遭註一四，追往訓於斷機註一五，悲難自已，念遺徽於留棬註一六，哀豈能忘，弟孝勿成愚註一七，毀無滅性註一八，尚希節哀順變註一九，爲國葆身。僕鶴弔情殷註二〇，梟趨跡阻註二一，望靈幃註二二而云遠，謹獻心香，歌楚些註二三以致誠，惟憑羽便註二四，敬錄挽句，肅此奉唁註二五，順候素履註二六，諸維珍重！

註釋

註一　禮鑒：弔唁書信用的提稱語。提稱語是請受信人察閱。

註二　哀訃：指訃聞，報喪消息。

註三　諗：思念。《詩經．小雅．鹿鳴之什．四牡》：「駕彼四駱，載驟駸駸。豈不懷歸，將母來諗。」

註四　金萱風冷：金萱，寓意母親。風冷，指悽風冷雨，不吉環境。金萱風冷，寓意母親離世。

註五　慈竹霜摧：哀輓女性用辭。慈竹，比喻女性。摧，摧折。

註六　伏思母範傳芳：伏，自謙敬辭。母範，母德。傳芳，流芳後世。

註七　坤儀秉淑：坤儀，女性美德可作表率。秉，持也。淑，賢淑。

註八　晟成令器：晟，教育、教導。令器，優秀人才。寓意教育子女成為優秀人才。

註九　膺翟茀之尊榮：膺，榮膺。翟茀，古貴族婦女所用的車子，車兩旁以翟羽為飾。《詩・衛風・碩人》：「翟茀以朝。」尊榮，尊貴榮耀。

註一〇　將板輿而迎養：板輿，即板轎，由人力抬起的木板轎，供老人代步工具之一，後寓意在任官員迎養父母。

註一一　方冀康疆逢吉：方冀，剛希望。康疆逢吉，身體康強，子孫昌盛吉利。《尚書・洪範》：「身其康強，子孫其逢吉。」

註一二　耄耋頤期：耄耋，八十至九十歲的古稀老人。耋，音秩。頤期，頤，供養；期，期待。

註一三　婺星忽隕：喪母喪妻常用輓辭。婺星，二十八宿之一，借指女神，婦女美喻。忽隕，忽然隕落，生命結束。

註一四　大故遽遭：大故，用於亡父母、亡國等重大變故。遽遭，突然遭遇。

註一五　斷機：寓意孟母斷機教子，使其勤學，用心良苦。

註一六　念遺徽於留棬：念遺徽，思念死者生前美好德行。棬，用柳條造出的杯盂或容器。

註一七　弟孝勿成愚：弟，通悌，勸諫悌孝勿過度變成愚孝。

註一八　毀無滅性：居喪不能過度哀傷而損害身體。《孝經．喪孝》：「三日而食，教民無以死傷生。毀不滅性，此聖入之政也。」

註一九　節哀順變：抑制哀傷，順應變故。用來慰唁死者家屬的常用語。《禮記．檀弓下》：「喪禮，哀慼之至也：節哀，順變也。君子念始之、……。」

註二〇　鶴弔情殷：鶴弔，相傳晉人陶侃喪母，有二客來弔喪，不哭而退，隨而化鶴飛去。情殷，情感殷切。

註二一　梟趨跡阻：梟趨，像鴨子緩行。跡阻，行跡受阻滯。

註二二　靈幃：靈幃，靈帳。

註二三　楚些：楚地招魂輓歌。

註二四　羽便：信使之便。

註二五　奉唁：送上。唁，慰問死者家屬。

註二六　順候素履：弔唁信的慰問語。

逸廬文存

復孝初先生書

孝初兄青睞[註一]：別後殊念，正擬馳緘[註二]，忽捧雲朵[註三]，並錫佳什，譽過於實，情見乎辭，所謂「文章知己關天命，笠屐人才[註四]澹世情」者，雖僕自遣之句，想兄亦具同情也。舉世若狂，相率爲僞，以屈大夫之賢，尤遭上官氏之譖[註五]，則丁茲末世[註六]，寧能眾濁以獨清乎。苟不遯世[註七]，惟有隨俗沉浮，與時俯仰，是亦丈夫不遇於當世者之所爲也。生於憂患，死於安樂，憂勞興國，逸豫忘身[註八]。則彼蒼[註九]之磨勵英雄者，禍之而實福之也，子奚憾焉[註一〇]。人如不甘自陷於庸懦之儔[註一一]，盍亟謀自拔於危難之道，則人力亦足回天，孰得而復沮[註一二]之耶！

逸生謹復戊寅年十月七日

註釋

註一　青睞：正眼相視，以示尊重，器重。

註二　馳緘：急速去信。

註三　雲朵：敬稱別人的書信。《新唐書．韋陟傳》：「常以五采箋為書記，使侍妾主之，以裁答，受意而已，皆有楷法。陟唯署名，自謂所書『陟』字若五朵雲。時人慕之，號郇公五雲體。」

註四　笠屐人才：笠，竹篾帽。屐，木鞋。笠屐人才，言外表平凡，但內懷才幹，例如東坡笠屐是也，張大千有「東坡笠屐圖」之作傳世。

註五　上官氏之譖：上官氏，即上官靳尚，屈原同僚。譖，毀謗、誣陷。《楚辭．漁父》：「楚頃襄王時，屈原為三閭大夫，名顯於諸侯，為上官靳尚所譖，王怒，放之江濱，被髮行吟於澤畔。」

註六　丁茲末世：意謂在這末代時刻。

註七　遯世：隱世。

註八　逸豫亡身：逸樂、享受。《詩經．小雅．白駒》：「爾公爾侯，逸豫無期。」亡身，自身滅亡。《新五代史．伶官傳序》：「憂勞可以興國，逸豫可以亡身。」

註九　彼蒼：天的代稱。

註一〇　子奚憾焉：你為何感到遺憾呢。

註一一　庸懦之儔：自謙庸下懦弱之輩。

註一二　沮：頹廢、沮喪。

上長官書

竊某猥以菲材[註一]，仰承優遇[註二]，感知慕德[註三]，泣更劇於蛇珠[註四]，懼老嗟卑[註五]，慙竟同於燕石[註六]，悚惶午夜，亟竢報稱[註七]，瞻顧前途，難安緘默。

鈞座以當流砥柱[註八]，挾泰山之威，下臨邱壑[註九]，改觀易轍[註一〇]，遊刃有餘，起弊扶衰，匪異入任[註一一]。杜雖不敏，然尚明親上死長[註一二]之義。今獲隸賢主如鈞座者，寧容自逸媮安[註一三]？致貽尸位之羞[註一四]。是以不揣譾陋[註一五]，願效其忠而輸其識，不以末秩越俎[註一六]而避嫌，不以人微言輕而自餒[註一七]，以鈞座之豁達襟懷，或不以爲忤也。惟杜之所欲陳者，均於大局有關，固非片時所能畢其詞，如蒙鑒其愚誠，宥其婞直[註一八]，俾獲罄積悃[註一九]，幸甚！幸甚！敬叩鈞安！

註釋

註一　猥以菲材：猥以，猥，辱，自謙語；以，介詞，憑借。菲材，淺薄才能，自謙之辭。

註二　仰承優遇：敬受優待。

註三　感知慕德：感知，感謝知遇。慕德，敬慕品德。

註　四　泣更劇於蛇珠：以淚作蛇珠報恩。《搜神記》：「隋侯出行，見大蛇被傷，中斷，疑其靈異，使人以藥封之，蛇乃能走，因號其處斷蛇邱。歲餘，蛇銜明珠以報之。」

註　五　懼老嗟卑：驚懼年已老，仍然未顯達。

註　六　燕石：類似玉石的燕山石頭。寓意不足珍貴之物。

註　七　亟竢報稱：亟，急切。竢，同俟，等待。報稱，報答。《漢書．孔光傳》：「誠恐一旦顛仆，無以報稱。」

註　八　當流砥柱：砥柱，山名，又稱底柱山、三門山，在今河南三門峽市，當黃河中流，迎擋著激流矗立如柱，故名砥柱。

註　九　邱堞：邱，同丘、小土堆、小山。堞，城牆上齒狀矮牆。

註一〇　改觀易轍：改觀，改變外觀。易轍，改變行車軌道。寓意改變計劃與方針。

註一一　匪異入任：匪異，匪，同非；異人，別人。匪異人任，即不假手別人擔任。左丘明《左傳．襄公二年》：「楚君以鄭故，親集矢於其目，非異人任，寡人也。」

註一二　親上死長：親上，親愛上級。死長，為長官捨命。孟子《梁惠王下》：「君行仁政，斯民親其上，死其長矣。」

註一三　寧容自逸婾安：寧容，豈容。自逸，自己安逸。婾安，同偷安、苟安。

註一四　尸位之羞：尸位，空占職位，不盡職守，感到羞恥，有如祭禮中的木偶。《書・五子之歌》：「太康尸位，以逸豫滅厥德。」

註一五　不揣譾陋：不揣，不自量，自謙語。譾陋，簡單粗略。

註一六　末秩越俎：末秩，低級官職、低身分。越俎，越，超越；俎，祭器，祭器的處理由主祭者負責。意謂身分低下者，越過身分處理上級身分的事務。

註一七　自餒：失去自信而氣餒。

註一八　宥其婞直：宥，寬恕。婞直，倔強、剛直。

註一九　獲罄積悃：獲罄，獲機會清空。積悃，久積誠摯之心。意謂獲機會盡訴內心忠誠。

百年陳情表

長官鈞右：

自從別後，百感交攉註一；陪侍三春，千言莫盡。仰懷德澤註二，泣更劇於蛇珠註三；伏念婞庸註四，慚竟同於燕石註五！以往利弊，乏機綜陳，將來調整之萬端註六，猶思瀆報註七。

近聞政躬違和註八，益慮緐言增惱註九，先攄忠抱註一〇，以息霆慍註一一。人謂杜早具輕視薄祿註一二之念，纔上是呈。素知公必有不屈匹夫之心，始行其志，動機本善，結果求安，苦肉之計非常，明珠之謗註一三遂起。鈞座堂高廉遠註一四，近侍易入危詞註一五；室邇人遐註一六，微衷難邀默察，孤懷耿耿，不敢告人。前路茫茫，但祈救國，寧甘犧牲一己以求上之悟，不忍貽誤大局以玷註一七公之明。鄙生自問非狂註一八，詎竟見知之寡；坡老誰云不直註一九，胡爲遭嫉之深。明知突火而婦可不言註二〇，無奈榱崩而僑將俱壓註二一。嗟嗟！幕中栖燕，遑知圮廈註二二之將傾；釜底游魚註二三，曷計焚身之立殆註二四；秦穆公因經敗績註二五，方信蹇叔之忠註二六；楚懷王未遭幽囚註二七，豈知靈均之屈註二八？處此日艱虞之亟，急起猶遲，溯瀕年積弊之深，回思尚悸！

矧鈞座望孚[註二九]中外，責繫安危，以我公之一身，砥柱乎中流[註三〇]。杜侍左右，情急效忠，不忍睹奸人之誤公，進而誤國；必欲謀治，始足圖存。以公之明，想當能諒杜之直，因杜之直，期不致蔽公之明。成敗之機，在斯一舉，存亡之鍵，貽以千秋。伏望去佞親賢[註三一]，挽人心於將墜；勵精圖治，延國脈以永存。瀝血陳詞[註三二]，和淚吮筆[註三三]。言念及此，泣不成聲。謹拜書以聞，敬惟亮察不宣！

註釋

註一　交摧：交，雜合、一齊。摧，傷痛、哀痛。

註二　德澤：恩澤。

註三　泣更劇於蛇珠：以淚作蛇珠報恩。《搜神記》：「隋侯出行，見大蛇被傷，中斷，疑其靈異，使人以藥封之，蛇乃能走，因號其處斷蛇邱。歲餘，蛇銜明珠以報之。」

註四　伏念婞庸：伏念，對師長自謙的敬詞。婞庸，寓意自己任性固執平庸。

註五　燕石：類似玉石的燕山石頭。寓意不足珍貴之物。

註六　萬端：形容頭緒極多而紛亂。

註七　瀆報：寓意報答。

註　八　政躬違和：政躬，敬稱政界長官身體。違和，指五臟不調和，言生病也。

註　九　益慮繁言增惱：益慮，更考慮。繁言，多言，同煩言。增惱，增添煩惱。

註一〇　先攄忠抱：意謂首先表示忠貞之心。

註一一　霆惱：雷霆惱怒。

註一二　薄祿：菲薄的俸祿。

註一三　明珠之謗：東漢大將馬援（前十四～四十九），年六十二，猶老當益壯，領兵遠征武陵蠻夷，客死征途，朝廷派人調查及承接軍務，遭小人狀告馬援戰略錯誤而致失敗，又誣之前出兵交趾期間，大肆搜刮珍珠滿車而歸。其實所謂珍珠，實則是薏米，可用作消暑利濕解毒作用。小人誣稱「南土珍怪」。馬援死後蒙上不白之冤，累及妻兒受冤，案情涉及薏米當珍珠的貪污案件，幾經波折始得平反，證實誣告，史稱薏苡明珠案、薏苡之謗。

註一四　堂高廉遠：廉，廳堂側面，喻尊卑有定規。《漢書．賈誼傳》：「人主之尊譬如堂，群臣如陛，眾庶如地。故陛九級上，廉遠地，則高堂；陛亡級，廉近地，則堂卑。高者難攀，卑者易陵，理勢然也。」

註一五　危詞：駭人之言。

註一六　室邇人遐：邇，近。遐，遠。室邇，居室在近，主人在遠。寓意思念遠人。

註一七　玷：玉上的瑕疵、斑點。寓意玷污、忝辱。

註一八　酈生自問非狂：酈生，即酈食其（？～前二〇三年），陳留郡雍丘縣高陽鄉人，少家貧，好讀書，任陳留門吏，孤傲不馴，具才，嗜酒狂放，人稱高陽酒徒。嘗從劉邦打天下，屢建軍功，甚受劉邦賞識，嘗遊說齊王田廣停戰成功，但韓信仍攻齊，田廣大怒，將其烹殺。元·趙孟頫〈見章得一詩因次其韻〉之一：「無酒難共陶令飲，從人皆笑酈生狂。」

註一九　直：寓意正直敢言。

註二〇　明知突火而婦可不言：突火，意取典故曲突徙薪。曲突，彎曲煙囪；徙薪，遷走灶旁的柴，可防止火災，寓意防範未然。曲突徙薪這種科學觀念，古代婦人科學知識未具，可不言也。《漢書·霍光傳》：「客有過主人者，見其灶直突，傍有積薪，客謂主人更為曲突，遠徙其薪；不者且有火患；主人嘿然不應。俄而家果失火，鄰里共救之，幸而得息。於是殺牛置酒謝其鄰人，灼爛者在於上行，餘各以功次坐，而不錄言曲突者。……。」

註二一　榱崩而僑將俱壓：榱崩，屋子的椽崩斷，喻塌屋。寓意國家傾覆。僑將俱壓，僑，子產名僑，春秋時著名政治家；將俱壓，將會與塌屋一起被壓。《左傳·襄公三十一年》：「子於鄭國，棟也；棟折榱崩，僑將壓焉，敢不盡言。」

註二二　圮廈：倒塌的大廈。

註二三　釜底游魚：指鍋中游魚。寓意危險萬分。

註二四　曷計焚身之立殆：寓意怎會計算到焚身之災立即使生命危殆。

註二五　敗績：敗仗成績。指晉敗秦師於崤。

註二六　蹇叔之忠：秦穆公勞師遠征，偷襲鄭國，秦上大夫蹇叔哭師力阻不可，並預料晉軍在崤設埋伏，但秦穆公不聽，揮軍遠征，結果如蹇叔所料，秦師在崤大敗，此時秦穆公後悔莫及，始知蹇叔忠心。

註二七　楚懷王未遭幽囚：西元前二九九年，秦伐楚，取楚八城，秦王約楚懷王於武關會盟，屈原稱「秦是虎狼之國，不可信」，但楚懷王不聽勸諫，堅持赴約，結果中計，在武關被劫持，押送咸陽，成為階下囚。

註二八　靈均之屈：靈均，乃屈原別字。屈，委屈。

註二九　望孚：威望與信服。

註三〇　砥柱乎中流：砥柱，山名，又稱底柱山、三門山，在今河南三門峽市，當黃河中流，迎擋著激流矗立如柱，故名砥柱。

註三一　去佞親賢：佞，巧言諂媚之人。賢，賢德之士。寓意遠小人，親君子。

註三二　瀝血陳詞：費盡心血，陳述文詞。

註三三　和淚吮筆：寓意含淚撰文。

致魯公仁丈書

魯公仁丈荃察註一：久違謦欬註二，馳繫殊常註三，感德景賢註四，未容忘弭註五。昔以遭時不造註六，應世無方，致爲西獄之的註七，幾作南冠之囚註八，仰荷仁慈，解其困阨，大德未報，銘泐彌深註九，別後潛修，旋而北上，嗣後漫遊異地，終履扶桑，及至變起蘆溝註一〇，遄還滬瀆註一一，隨軍西發，揮魯陽落日之戈註一二，微服註一三北行，上賈誼治安之策註一四，非謀干祿註一五，實哀孑遺註一六，嗟我人微註一七，莫伸忠抱註一八，辭職居鄉，時勢愈亟，乃走海隅，閉戶著書，期伸正義。幸兒曹註一九知孝，菽水亦足承歡註二〇，文友慰情，廉泉尚堪潤涸註二一，未至托缽註二二，猶能擊壺註二三，篤念前緣，〔伍註〕公與不佞嘗結善緣。而貢師註二四已逝，問訊註二五何從，耿耿於心，依依如渴。今也，矧又懷恩註二六，亟攄下忱註二七，願聞清誨註二八，不勝延企註二九之至。此候道安，唯照不宣註三〇！

伍百年再拜上

註釋

註一　荃察：荃，即蓀，香草名，比喻國君。察，明察。荃察，舊時書信敬稱對方用語，表示請求原諒的敬辭。《離騷》：「荃不察余之中情兮。」

註二　謦欬：談笑與行為。《莊子．徐無鬼》：「莫以真人之言，謦欬吾君之側乎！」謦欬，音罄咳。

註三　馳系殊常：馳系，馳念遠方的人或事。宋．蘇軾〈與袁彥方書〉：「累日欲上謁，竟未暇辱教。承足疾未平，不勝馳繫。」殊常，異於平常、非常。

註四　感德景賢：感德，感激恩德。景賢，敬賢。

註五　未容忘弭。未許忘卻。

註六　遭時不造：遭遇不幸的時勢。

註七　西獵之的：的，目標，打獵目標。

註八　南冠之囚：南冠，南人之冠，楚在南，故南冠即楚冠，南冠之囚即楚囚。囚，指囚犯。

註九　銘泐彌深：銘泐，銘記特別深刻。

註一〇　變起蘆溝：一九三七年七月七日爆發蘆溝橋事變，掀起日本侵華序幕，我國軍民全面抗敵。

註一一　遄還滬瀆：速還上海。

註一二　揮魯陽落日之戈：戰國時期，楚國魯陽公大戰韓國軍隊，戰況激烈，由日至暮，太陽下山，魯陽公舉戈揮向太陽，示意勿下山，嚇得太陽倒回三舍（一舍三十里）。《淮南子．覽冥訓》：「魯陽公與韓構難，戰酣日暮，援戈而之，日為之反三舍。」

註一三　微服：常服。

註一四　上賈誼治安之策：賈誼（前二〇〇～前一六八年），西漢雒陽人，曾為長沙王太傅，世稱賈太傅、賈長沙，由於是著名學者，故又稱賈生。賈誼才華出眾，年二十二，已當上博士，是朝廷最年輕的博士，可說是少年得志，但卻惹來老臣妒忌和打壓，鬱憤而死，終年三十三，可謂英年早逝。其〈治安策〉上奏漢文帝，痛陳時弊，「可為痛哭者一，可為流涕者二，可為長嘆者六」。策的內容涉及中央與地方諸侯，漢廷與北方異族，社會各階層等矛盾，並提出相應補救辦法，文筆夾敘夾議，是文學作品名篇。

註一五　干祿：功名利祿。《論語．為政》：「子張學干祿。子曰多聞闕疑，慎言其餘，則寡尤。」

註一六　子遺：殘存者、遺民。《詩．大雅．雲漢》：「周餘黎民，靡有子遺。」

註一七　嗟我人微：嗟嘆我人微言輕。

註一八　莫伸忠抱：無法表示忠貞之心。

註一九　兒曹：兒輩。

註二〇　菽水亦足承歡：菽，豆，菽水，豆與清水；亦足，亦可以；承歡，得到歡心。寓意克盡孝道，不能以侍養物質的貴賤作標準，就算以豆品和清水侍養父母，使父母歡心，也算孝道。《禮記．檀弓下》：「子路曰：『傷哉！貧也。生無以為養，死無以為禮也。』孔子曰：『啜菽飲水盡其歡，斯之謂孝。』」伍百年嘗言：「余隱斯土，家費悉由兒輩任之，日耽吟詠一樂也。」

註二一　廉泉尚堪潤涸：廉泉，指水泉。寓意生活經濟尚可應付。

註二二　托缽：行乞。

註二三　擊壺：形容情志激昂或悲憤，典出「唾壺擊缺」。宋．劉義慶《世說新語》：「王處仲（王敦）每酒後輒詠：『老驥伏櫪，志在千里。烈士暮年，壯心不已。』以如意打唾壺，壺口盡缺。」

註二四　貢師：恩師。

註二五　問訊：問候。

註二六　矧又懷恩：矧，況且、何況、另外。懷恩，懷念恩德。

註二七　亟攄下忱：需要表示心意。

註二八　願聞清誨：願意聽聞教誨。

註二九　不勝延企：不勝，非常。延企，延頸企足。寓意殷切期望。

註三〇　唯照不宣：照，明白。宣，公開宣告。即心照不宣。

純學克邪論

夫人之聰明才力，天之所賦與者也。人之善惡正邪，心爲之主宰者也。苟能秉天地之正氣，立人道之大則，險夷而不動其心，榮辱而不改其行，是則得天特厚者，人而臻於聖已乎，非常人之所能也。

然則士之欲求其善與正而不流於惡與邪者，視其心之如何耳。心正則慾息，妄動則邪生，一念之間，善惡隨之而起滅，一事之微，禍福因之而轉移，其關繫也，亦大矣哉。

夫善與福，人之所悅也，惡與邪，人之所嫉[註一]也。然有時惑於利而賈禍[註二]，囿於境而爲惡，遂使明者昧而智者昏，能不爲外物所移者尠矣。惟學之純者乃能之。學而能純，則近道矣。學與道，不可須臾離也。學如不以其道，則學不純，道如不純，則道不堅。學不純道不堅，而欲始終不淪於邪惡者幾稀矣。故有始欲善而終惡者，曹瞞[註三]是也，亦有始雖邪而歸正者，太甲[註四]是也。當阿瞞圖刺董卓時，未嘗無忠漢之心。迨握政柄，雖篡逆[註五]亦不惜爲。而太甲之遷桐[註六]也，卒幡然[註七]有悔過之念，然即位伊始，雖帝胄[註八]亦遭放居。彼二子者，皆聰敏過人，異乎流俗，而又秉鈞衡[註九]主國政者，宜若能善終愼始，息慾克邪，而不爲外物所移矣。詎或爲德不卒，而悔於終，或羞前之爲，而弛於始，是皆逞其天賦之聰明，而失其道心之主宰。推其因未始非學之不純有以致之。

今之人，徒逞其聰明而流於奸邪者，亦多矣。然則欲求其學之純而臻於道，制其妄而克其邪者，如之何而後可，曰：「舍誠意正心克己之道而末由[註一〇]。」是道也，小之足以修其身，大之足以治天下，處常而能敦其禮，遇變而能保其節，其處己也廉，其待人也讓，其臨事也愼，其化俗也和，隱則爲鄉黨之楷模，達則爲邦家之樑柱，貧則自樂其道，富則嘉惠於人，治則霖雨而蒼生，危則撥亂反正，其教不肅而成[註一一]，其政不嚴而治。斯道之至者也，唯學之純者乃能之。

如欲求其學之純，又如何而後可？曰：「舍不惑求眞歸淳之學而莫適[註一二]。」是學也，好而不厭，自強不息，窮古今之理，匯中外之說，棄其糟粕，擷[註一三]其精華，印證聖哲之遺言，適應現代之趨勢，而後能學衷於理。

心有主宰，是之謂「不惑」。然世每有理所必具難行者，又不能不躬履[註一四]其境，身歷其事，採風問俗，徵其異同，覈[註一五]其虛實得失之情，辨其利害出入之端，而後能切中事理，不偏不撓，是之謂「求眞」，再晉而養其氣，斂其鋒，蓄其精，萃其神，稽已往而測將來，達其權而通其變註一六，學猶虞不足註一七，虛心以求其道，識猶慮未充，博聞以濟其窮註一八，增益其所不能，省察其所未悟，神而明之，豁然註一九貫通，汰礫存金註二〇，去瑕取瑜註二一，而後能由博反約，有守有爲，是之謂「歸純」。

夫如是，學能不惑則克邪，學能求眞則去僞，學能歸純，則萬事萬物無所動乎其中，而莫不止於至善，其誠意正心克己之效乃見。故曰：「學而能純，則近道矣。」斯言洵不誣註二二也。世之學者，其亦知所勉歟！

註釋

註一　嫉：憎恨、厭惡。

註二　賈禍：自招禍患。

註三　曹瞞：曹操（一五五～二二〇），東漢末譙縣人，字孟德，小字阿瞞，因呼為曹瞞。

註四　太甲：商湯長孫，又稱祖甲，商代第五位君主。太甲即位之初，政務尚可，及至第三年，任意發號施令，縱情享樂，朝政昏亂，破壞祖宗法規，四朝宰相伊尹，屢規勸無效，將他放逐到商湯墓地附近的桐宮，讓其反省，自己攝政當國，史稱「伊尹放太甲」。三年後，太甲知悔，痛改前非，伊尹還政給他，太甲修德，百姓安居。

註五　篡逆：篡位謀反。

註六　桐：即桐宮，為太甲放逐之處。

註七　皤然：忽然改變。

註八　帝胄：皇族。

註九　秉鈞衡：執掌政權。《舊唐書．苗晉卿傳》：「及秉鈞衡，小心畏慎，未嘗忤人意。」

註一〇　末由：無由，沒有門徑，沒有辦法。《論語．子罕》：「雖欲從之，末由也已。」

註一一　其教不肅而成：其教化不須嚴肅施行就能達到成功。《孝經．三才》：「是以其教不肅而成，其政不嚴而治。」

註一二　莫適：無所適從。

註一三　擷：採。

註一四　躬履：親身履行。

註一五　覈：檢驗、查核。

註一六　達其權而通其變：即達權通變，指不墨守成規，通曉其變化而行事。權，秤錘。

註一七　學猶虞不足：虞，憂慮。對學問仍憂慮不足。

註一八　濟其窮：濟，幫助。窮，不足。

註一九　豁然：頓然、開朗。

註二〇　汰礫存金：淘汰礫石，保存金沙。

註二一　去瑕取瑜：去其缺點，取其優點。

註二二　洵不誣：洵，確實。不誣，不假。

四相[註一]歸一論

相從心生，幻從相起，肉眼觀象，有色則有相，有相則執著[註二]，著則不空，不空則念與慾動，念慾一動魔障乘之。生老病死，苦惱災劫，貪瞋痴[註三]愛，亦相之幻也，均魔之障也，足以亂其天眞，斲其生機[註四]，桎梏[註五]其性靈，摧耗其精力，畢生擾擾至死而止，芸芸眾生[註六]其何時方悟？莊子不云乎：「以有涯隨無涯，殆[註七]矣！」蓋人生也有涯，以有涯之生，而隨無涯之事，烏可以不殆？人苟欲脫障離桎梏，悟澈眞如[註八]，誕登彼岸，當先以去跡象，見靈性，爲不二法[註九]。

夫象者相也，而相有人我，眾生、壽者之別，四相不空，性無由見，而心蘊之念與慾，相生之魔障，均亦莫之或息也。今就四相以淺近之理釋之：人相者，對象也，我相者，本位也，眾生相者，空間也，壽者相[註一〇]者，時間也。相雖有四，而實則一也。人相既無，我相何有？我相不有，更何有眾生壽者之相乎？是則流雖殊而源一，明乎此，志道之士，當窮其源以綜其流，欲空四相，先空人相，能如是，四相皆空，則理易明，其道易行也，事半而功倍矣。質諸有道君子，其亦以斯言爲不悖[註一一]歟？爰之爲詩曰：

四相原來總是空，雪痕無語問飛鴻；去來生滅渾無跡，道澈眞如縹緲中。

註釋

註一　四相：佛學名詞，即我相、人者相、眾生相、壽者相。

註二　執著：堅持、固執。

註三　貪嗔痴：貪嗔痴，佛家語，稱三毒，又稱三垢、三火，此三毒殘害身心，乃罪惡根源，故又稱三不善根。貪，貪欲；嗔，任意發怒；痴，無知魯莽。

註四　斲其生機：斲，砍也、削也。生機，生存機會。

註五　桎梏：刑具。腳鐐稱桎；手扣稱梏。

註六　芸芸眾生：世間一切生靈或塵世凡人。

註七　殆：危險。《詩・小雅・正月》：「民今方殆，視天夢夢。」

註八　真如：佛教術語，解說頗多。真，真實不虛；如，如常不變，合真實與如常，叫做真如。又：真是真相，如是如此，真相如此，故名真如。《法集經》謂：「真如者，名為空，彼空不生不滅。」又：「真如者，非實非虛，非真非妄，非有非無，非是非非，非生非滅，非增非滅，非垢非淨，非大非小，非子非母，非六非圓，……。」

註　九　不二法：佛學術語。超越相對、差別、一切絕對，平等真理之法。另一義泛指別無他法。

註一〇　壽者相：四相之一，於五蘊法中計我一期之壽命，成就而住，有分限也。另一義認為壽命有一定限制，但死後靈魂不滅，進入輪迴。

註一一　不悖：不相衝突；沒有牴觸。《禮記．樂記》：「禮樂刑制，四達而不。」

伍百年先生出生命名奇事（命名之由，照父母敘述記之）

余誕生未彌月，得急病，面青、眼直、手足抽搐，救甦後乳不飲，啼不止，母寢食俱廢，珍護備至，父與群醫照「驚風」治之，罔效。父乃趨邑城外大雲山隆興古寺（唐代建）訪三伯父之師，（伍註）師為北京隆興古寺高僧。雲遊玉邑，卓錫大雲山之隆興寺，三伯父從其習醫。請其法駕蒞舍治余病。師曰：「產房閨闥，非男性僧侶所宜入。」父曰：「抱兒就診可乎？」師曰：「勿動，勿動，動則殆矣！」父感慟曰：「弟子與群醫連日治之、均已術窮，吾師道高學邃，犬子一線生機，師仗實深，今竟坐視其危而莫之拯耶？」師曰：「毋躁，待先布卦占之。」卜畢，掐指袖中，閉目默然，有頃，宣偈：「畋獵在高山，邇麟棄麋鹿，余命爲乙木，（伍註）取朝柱名，本此。將三尺竿，來作中流柱」。念畢，告曰：「此子大有來應，生具夙慧，長咸璧人，根基亦厚，但魔障重重耳，此病奇極，貧衲無須施藥，吉人天相。另有『有緣人屬陰性者』治之，快占勿藥矣。檀越憂子忘食，想必餒，可在此用些素食。」不待父諾，命徒款以齋，強延入席，父心懸余病，食不下咽。僧覺，莊容言曰：「佛戒妄語，貧衲豈輕饒舌者？何憂爲！」父草草食竟，乃辭師而歸，三伯父送至山下，密告曰：「師言多奇驗，姪兒必轉危爲安，苟不效，可以命弟婦抱嬰來。」父漫應之，怱怱歸，入闔，見母方哺余乳，視面色紅潤，手足溫和，喜極，急詢所以。母告以故：「當汝離家時，忽有比丘尼敲門募化，婢拒之，吾以爲高僧託同道來治兒病，命延之入，詢以從何處來？卓錫何所？」尼曰：「布道四方，從來處來，權住水月庵。」母曰：「城中祇聞有水月宮，豈是斯耶？」曰：「人生到處都是鏡花水月耳！女檀越面有憂色，睫凝淚痕，何故？」母告以兒病經過，尼請視，母曰：「不可以風。」尼曰：「有衲在，庸何傷？」乃解余於襁褓中，凝視喃喃念咒，畢，以劍指輕敲腦際，出白巾纏指探喉間，痰出。曰：「愈矣，有飢容，亟哺以乳。」母亟謝之，乳罷，余已呼呼入睡。母大慰，曰：「師傅神術，再造之恩，沒齒難忘！兒根基如何？請明教之！」尼本遽答，而反詰曰：「女檀越淑慧布施，嘗在大士庵花神廟求嗣歟？」母曰：「嘗於參神時默禱耳。」尼曰：「嬰兒降世時有何兆？」母索思，曰：「儂分娩時只覺光閃一瞥，香生室中，兒即產下，餘無別兆。」尼曰：「是矣！」母詢是何來歷？尼曰：「幽谷之蘭，是其類也，此中精英，大有來歷，雖自賞孤芳，然不免爲野卉莠苗所羨妬，纏擾必多，未滿三歲不宜與陌生人見，長後亦多凶險劫阨，但吉人天相，無妨也。」言訖，合什與辭，母命婢敬贈銀米，尼不顧，飄然而別。父聞而沉吟俯思，參以僧言及其偈，頓悟曰：「蘭爲王者之秀，材爲不心之出，吾家宜有後矣。五百年必有王者興則本此。」乃與大伯父〔伍註〕業儒。、三伯父共商，命名曰：「畹翹」，畹者、田三十畝也，翹者、特出之材也，取厚土以培特出之蘭。《楚辭》：「余既滋蘭於九『畹』兮。」〔伍註〕後陳師為余取號蘭九、亦本此。鄭曼季詩：「樂只君子，邦家之『翹』。」後余本蘭爲逸品，生於幽谷之義而號逸生。

義士殲倭記

趙冰博士口述
伍百年筆記

弁言

倭寇侵邊，肇釁〔伍註〕粵音印，國音信。於東北；蘆溝變起，毒痡〔伍註〕音鋪，毒害。乎西南；大邑名城，次第淪陷，海港鐵道，全被控制，九萬里錦繡河山，戰塵瀰漫！五千年文化產物，劫火摧傷！人民化爲沙蟲，廬舍變爲灰燼，交通遭其封鎖，空領任其縱橫，內儲既罄，外援復絕。〔伍註〕英人封閉滇緬路，國際輸入之要道遂絕。戰士浴血，孑遺流離，木屐鐵啼，恣其蹂躪，勾結奸宄，爲虎作倀，殘殺至於孺子，凌辱及於婦人，餓莩載途，瘡痍滿目，扶危濟困，責在有司，而政府播遷，鞭長莫及，幅員遼闊，應付難週，或因黨政軍之不相協調，或被異見者之從中破壞，或緣漢奸之通敵，或遭土匪之殃民，增我創傷，授人以隙，倭寇乘之，遂成破竹燎原之勢，群黎苦矣，瀕於土崩魚爛之危。

敵騎驟來，守將先遁，失土棄民，任敵宰割，所謂干城之選者竟如此！事前不作合理疏散，事後不圖補救收復，所謂封疆大吏者又如彼！然而失土者仍居高位，棄民者猶綰軍符，國土淪喪，人無噍類，八年荼毒，四境凋殘，養士報國之義謂何？功賞罪罰之法安在？言念及此，彌覺痛心！

迺有義士，起自民間，竭愛國之赤誠，伸民族之大義，挺身攘臂，糾集義民，餉械自籌，不耗公帑，義馴勇士，不擾良民，保桑梓以殲倭，助政府以抗敵，運糧糈〔伍註〕音水，糧食。以供應民食，拯困危而不限華夷，救人不取酬，建功不受賞，立巖牆而色不變，履虎穴而智脫危，對同志則推誠，遇強敵則誓死，爲羣眾而服務，持正義以感人，律己則嚴，待人則寬，臨財不苟得，臨難不苟免，解紛排難，具魯仲連之精神，遷善改過，有晉周處之勇氣。斯人也，綜其行誼，稱爲義士，不亦宜乎！其人爲誰？曰，嶺南岡州趙其休是也。其事足傳，其人足紀，此本文之所由作也。

伍百年識

紀實

趙氏其休，嶺南新會三江鄉人也。趙氏爲邑之望族，屬宋室之遺裔，聚族而居者數萬眾，該鄉地處要衝，握廣州與南路〔伍註〕高、雷、廉、瓊四州、為廣東南路。水陸交通之咽喉，爲貨運必經之通津，民性淳樸，有「海濱鄒魯」之稱。〔伍註〕新會古稱岡州，為先賢陳白沙先生故里，邑人受先賢薰陶，好義敦禮，風俗淳厚。三江趙氏，因秉承乃祖抗元殉國之壯烈，故其民族性樸厚堅強，兼而有之。

日寇入侵，守將聞風先遁

當倭夷於一九三八年十月十三日由海道侵襲華南，在廣東東江大亞灣登陸〔伍註〕大亞灣一名湃亞士灣。，長驅直進，勢如破竹，不旬日〔伍註〕十月二十一日。而占領華南重鎮之廣州。當時由廣州至大亞灣沿岸設防，爲守將莫希德師長所負責，〔伍註〕莫師長隸屬第七戰區司令長官余漢謀將軍麾下。敵騎驟至，守軍略事抵抗，旋即潰敗退卻，軍委會獲悉當敵登陸時，莫師長已離防他往，有聞風先遁之嫌，乃密令余長官將該師長解至重慶受軍法審判，而判處刑期。

日寇重兵入侵新會

廣州陷後，敵騎四出，攻掠各縣，寖成燎原之勢，守土將士，望風披靡，全粵重要城市，相繼淪陷。新會地當要衝，敵所必爭，傾其正規軍藤田師團全部兵力，輔以海空部隊，挾其新式武器，以獅子搏兔之勢，突臨縣境，志在必得。因敵方戰略是由四邑〔伍註〕新會、台山、開平、恩平。直下南路，〔伍註〕高、雷、廉、瓊。與攻入東、西、北江三路之敵軍相呼應，妄冀一舉而席捲全粵，摧毀革命策源地之華南抗日力量，使之與華中華北之淪陷區相啣接，展示封豕長蛇之勢。如是，則黃河、長江、珠江三大流域，均入其掌握之中。日寇意圖以武力占領中國，以傀儡政治分化羣眾，其勢固凶，其謀尤毒！更藉奄有中國之廣土眾民，以戰養戰，進而侵吞東亞諸國，完成其「大東亞共榮圈」與「八紘一宇」，居臨亞陸之迷夢，其慾雖狂，而其志實不小也。

查日寇在中國用兵，恃其優勢武力，在大戰場中，如南口會戰、中原會戰、台兒莊會戰、長沙會戰，最多不過動用數師團兵力，及另輔以特種部隊為佐；又如隴海、津

浦、太原，開封等幹線作戰，亦僅動用一、二師團至三、四師團兵力耳。今在粵用兵，祇廣州支線，除動用安藤吉利軍團〔伍註〕安藤吉利為南支派遣軍總司令。全部爲主力外，並組合各師團的聯隊及特種部隊，配合海空軍聯合作戰。在中山一縣，敵駐藤井師團一部，而在新會一縣，則集篠田師團全部兵力，暨附另兩聯隊與海空軍等兵力，其重視此一戰線可知矣。

當時我政府處此戰局逆流，節節敗退，失地日廣，既難固守，遑論反攻，惟有「以空間換取時間」〔伍註〕此為我政府之戰略。，藉我方廣大之幅員，以分散敵方龐大之兵力，一面整編補充，一面伺隙奇襲，牽制敵軍，使之泥足深陷，以俟外援，徐圖光復。國策如斯，戰力所限，重鎮尚難固保，況各縣更不及兼顧，新會一隅，寧能倖免？

其休臨危受命，祠堂前率衆宣誓領導抗日

一九三九年春三月，敵軍進攻江門〔伍註〕江門為新會轄境之商埠。，守軍略事抵抗，便退守大澤、河村、天亭、厓西一帶〔伍註〕屬新會西南方各鄉。。三月卅一日，江門與新會城相繼淪陷，敵旋勾結漢奸，成立傀儡縣政府，部署稍定，分向各鄉招降。新會之三江鄉趙族，既爲望族，敵更

重視，利誘勢迫，無所不用其極。三江鄉民，抗日之意志堅強，拒受僞命，咸主備戰，惟羣龍無首，負責何人？適趙其休氏自廣州淪陷後，由澳門遄返三江，倡議戰守。迨江門、新會城失守，三江鄉長父老等咸望其休領導抗戰，公推紳耆趙漢浚、廣美、承衍、金垣、禮華、德沛、石泉、其舟、居仁、紀三、乙峰、其幼、錫彝、仲渭、耀壯等齊踵其休之門，環請出掌艱鉅任務。其休深明興亡有責之義，早具寧爲玉碎之心，乃毅然接受羣請，統籌餉械，攘臂高呼，全鄉景從。

於是陳師鞠旅，秣馬厲兵，振奮軍心，枕戈待敵，即以曾受軍訓之壯丁爲基幹隊，並編集赴義來歸之人士爲補充團，鄉人有槍者出槍，有力者出力，萬眾一心，眾志成城，羣向太祖祠祥光堂建安郡王必迎公靈位前宣誓，以效法乃祖抗元之精神而抗日。果也，士氣昂揚，雄心奮發，卒成勁旅。

其休領軍擊潰日軍

農曆四月十五日晨，敵方先派僞軍挺進隊千數百眾，在茶坑鄉〔伍註〕梁任公先生故里。集合，晨早渡河至官田鄉登陸，直趨八堡、沙崗、洋美、並埋伏在三江鄉之背，待中方艦艇從水路登陸三江鄉時，予以前後夾攻，此敵軍之作戰計劃也。彼僞軍由鄰鄉或鄰縣之匪類組合而成，全屬烏合之眾，必待日方艦艇掩護登陸，方敢借勢進行夾擊行動。其休聞僞軍到達八堡之訊，即先發制敵之法，迅速派隊會同八堡各鄉團壯丁予以圍剿，僞軍不堪一擊，由晨至午，作戰半日，便將僞軍全部解決，漏網者僅少數耳。嗣於下午三時，敵艦果至，載僞軍約千餘人，由漢奸何平之率領。此等僞軍，是由佛山鎮調至江門，裝備雖全，鬥志則弱，且地形不諳，受日軍驅使從三江鄉右方「泗美圍」登陸，直趨仁和里進襲，而日艦則在三江鄉左方「進祖圍」岸邊，架設大炮廿餘門，向三江中部猛轟，以掩護僞軍撲攻，戰至入夜，日艦恐遭我方夜襲，見登陸僞軍已占領各山嶺，乃先撤離戰線。僞軍雖占領山嶺有利陣地，但地形不熟，激戰徹夜，無法進展。我方以逸待勞，沉著應戰，伺其疲憊，趁機猛攻，戰至越日上午十時，敵勢不支，加以附近各鄉：八堡、謝沖、新村、洋美、臨潮、良德沖等鄉，聞三江與敵徹夜激戰，且經其休之胞兄其幼等父老馳至請援，旋即分派團隊援助，迂迴包抄，將敵軍圍在火力射程之內，四面夾攻，敵遂崩潰，全部被殲，餘則被俘，能逃生者少。

是役之所以全勝者，蓋因人懷決死之心，早具與敵偕亡之念，少壯者執戈前驅，老弱者遍佈疑陣，紳耆則分赴各鄉請援，婦孺則輸送彈藥茶水，更利用地形，擇要設伏，士氣振奮，接應迅速，其殺敵致果之勝算在此。

敵經一再挫敗，忿恨愈深，乃派正規日軍，趁潮漲時用膠艇載運，直向三江大營駛進，藉大炮掩護，意圖登陸，採中央突破攻勢。幸我方早已發覺，預伏兵要隘，俟其接近火線，即集中火力掃射，敵不得逞，倉皇退兵。

綜計十五、十六兩日，敵人連攻三次，死傷逾千，損失嚴重。我方經此迭次勝利，聲威大振，遐邇歡騰，鄰近各縣未淪陷之鄉村市鎮人民，皆增強抗敵信心，紛紛派出代表到三江勞軍，並請義軍維持未淪陷地區之水陸交通正常，使四邑各縣及南路地區與港澳交通保持暢順。從此三江鄉頓成港澳四邑之交通樞紐，熙往攘來，行旅絡繹不絕，如是者，三江部隊與敵軍對峙數月之久。

日寇再舉遇挫，我方亦傷亡慘重

但彼〔伍註〕日軍。藤田師團，以師老無功，損傷慘重，因受三江部隊牽制，不克突破四邑與南路之戰線，羞忿交併，決傾全力，以圖一逞。於農曆七月初四日，派出一軍部，先解決駐睦州墟之中國防軍，企圖孤立三江於一隅。該團師長親率全師團逾萬之眾，水陸並進，先占據三江外圍之各山嶺據點，越日傾其全力，將三江包圍，集中大炮火力猛攻，激戰兩日夜，雙方互有死傷，相持不下。敵酋志在必得，於七月初六日，再由水路增調艦艇，滿載大批生力援軍，由「洪慶圍」駛進，被我方預伏在兩旁圍基的臨時戰濠內之伏兵截擊，敵受創頗重，仍繼續猛進，我隊伍腹背部受敵，死傷纍纍，彈盡援絕，卒被攻入，旋激起巷戰。各父老見鄉中子弟，傷亡過鉅，且無外援，不忍再作無謂犧牲，乃用武裝人員，掩護全鄉老幼三萬餘人，由捷徑退出，撤至九區古井各鄉接受收容。其中不及撤出之老弱婦孺，被日軍殘殺姦淫而殉難者，約千餘人，陣亡者約二百餘人。其休即在古井，霞路等鄉收拾餘眾，整理善後，重新配備，並號召各方武裝人員參加，補充新血，以圖反攻。

敵軍占駐三江三天，幹盡傷天害理，慘無人道之獸行，鄉人恨之入骨。於初九日，聞我方大舉反攻，恐被聚殲，倉皇撤走，遺下軍用品及糧食甚多，其狼狽情形可知。其休親率隊伍，兼程返鄉駐守，重新佈防，在滿目瘡痍之慘狀中，展開掩埋遺屍，辦理救濟工作。

三江再陷，敵寇焚殺城鎮

至二十日，敵又傾其全力，大舉進攻，三江再被攻陷，彼欲消滅三江抗日基地，四處放火焚燒，鄉中商店，無一倖免，各里民居，亦遭炸燬，廬舍四千餘間，經日寇一炬火把，頓成焦土，慘絕人寰，言之髮指。

三江再度失陷，敵即設防駐守，在煙管山構築堡壘，派日軍常駐，並在中山里傳逸祖祠，駐偽軍一營，以備進攻古井、厓西、天亭等處，並將銀州湖劃作禁區，〔伍註〕湖之西，仍為我義軍所保守。經常有敵艦在湖中遊弋，日夜逡巡，見有中國船艇來往，即以機槍掃射，江上又不知平添幾許冤魂矣！

迄一九四〇年春，日寇獸性大發，重演焚殺悲劇，將三江鄉民重新蓋搭之茅蓬商店，及焚剩之民房，徹底焚毀一空。昔爲繁盛富庶之區，從此盡付劫灰矣。三江經重蹈再焚之後，其休率領部隊駐防於九區古井各地，獲奉政府明令編爲「游擊義勇軍」。義軍總部設於背坑鄉，與煙管山之日駐軍，僅一河之隔，互相對峙，迄九閱月之久，敵不敢來犯。直至一九四一年春，日軍大舉進攻古井各鄉，九區大部分鄉村，多陷於敵。

義軍之裝備補給

我方義軍，由趙其休率領，退守沙堆、梅閣、官沖、厓門等處。該處爲四邑南路通港澳之通津，非誓死保有此重要交通線不可。資源方面，我義軍既無政府補給，亦不要地方捐輸，祇靠自行組設武裝船隊，載運物資，所賺之運費，以資挹注，暨運用潛力，控制陷區農田，產生鉅量米糧，以供民食。二者收入頗巨，勉可支持龐大經費。此實師古人「寓兵於農，取利於商」之遺法也。

關於義軍械彈之補充，初期則自行備價購買，及借用鄉民所藏之械彈以應急。此外，政府轄下之四、七兩戰區長官部，及第三十五集團軍，與廣東省政府各方面，亦會接濟彈藥。至於義軍從敵方水陸兩路掠奪得來之械彈、糧食、軍用品等，爲數也甚夥，且有重型武器落在義軍手中，用以還擊敵人，此爲最痛快之事也！

詐降誘敵，出奇制勝

惟敵強我弱，敵眾我寡，經數次陣地戰後，雖予敵以重創，而我犧牲，亦復不少，欲長期抗敵，宜運用游擊戰術，非出奇制勝，不足以持久戰也。於是乘敵酋派人向我方誘降之際，〔伍註〕敵方擬從此線直搗南路，以完成其原定方略，但恐我義勇軍隨時截擊偷襲，不能確保此軍運交通線之安全，既無法將我軍消滅，乃屢次以甘言厚利，向我軍誘降。乃派大隊長高勤，政治員關宇定，率武裝人員一隊詐降。〔伍註〕當時我軍整編為三大隊，以鍾炎如、葉柏生、高勤為隊長。

因高勤等善於應付，經過相當時間，不露破綻，敵遂信之不疑。高勤等乃把握良機，假意向鍾葉兩大隊以利益勸降爲餌，藉以對敵寇延宕時日，緩其攻勢，且騙其給養，窺其設防，偵其虛實，賺其情報，以配合我方伺機殲敵之大計。迨將敵方重要佈防形勢探明底蘊後，我方籌劃進攻，適值連天大雨，陰霾漫天，敵人疏於防範，我軍乘虛奇襲，攻入重地，因密雲霪雨，遮蔽天日，敵機無法起飛助戰，遂一舉而潰敵僞數千之眾，俘虜及投降者數百人，擄獲平射炮、曲射炮十門，機關槍百餘挺，步槍千餘桿，彈藥、糧食、暨軍用品甚多，並將僞軍總司令方正華，與高級將佐幕僚等一網成擒。此次赫赫戰果，爲我方民間抗日戰史放一異采。是次反攻，擄獲敵人大批武器，除足以增強我方之實力外，而人心士氣，亦大爲振奮。反觀敵軍上下，極其沮喪，嚴重影響其南侵之軍事計劃。〔伍註〕敵軍經此大挫，迫而將南侵之軍事計劃，重新部署，因而停頓十閱月之久，卒於三十年冬，即一九四一年十二月八日始行發動太平洋戰爭，其關係之重要也如此。

餓莩載途，其休運糧解救

嗣後天氣放晴，敵之飛機四出轟炸，以示報復。古井、沙堆等鄉之商店民房，遭炸燬者千餘間。我軍駐防沙堆鄉之隊部亦成攻擊目標，鄉民遭炸斃者逾百，各村損害慘重。我軍受敵機威脅，迫而轉進於厓西〔伍註〕厓門之西。沿海，重新佈防，與敵隔河對峙，〔伍註〕對峙歷數載，以至日方投降時，我方尚能保此交通防線。以掩護武裝船隊之活動，屢在海上截擊敵人艦艇，掠奪其物資，及搶救陷敵之中外人士，暨運輸糧食物資於不輟。因平時四邑各縣糧食已感不足，尤其在戰時，海陸交通，被日軍封鎖，而三埠〔伍註〕長沙、狄海、新昌，謂之三埠。及單水口〔伍註〕水口鎮。各處米機鋪，因無米供應，相繼歇業，來源已斷，糧荒嚴重，餓莩載途。

三江原是產糧之區，尚且出現因糧荒而烹人療飢之慘事！其他各縣之慘狀，殆有甚焉。其休目睹各處糧荒，如此嚴重，爲之惻然！乃利用原有武裝船隊，冒險分赴產糧之陷區，重價搶購米糧，運交各地縣政府儲糧，及配給各墟市糧食店分售，以紓民困。其休並派其胞兄趙其幼返三江鄉，策動全面施粥，救濟鄉民，及源源運糧返鄉，以維民食。糧食雖經敵方搜刮殆盡，沿途更滋擾頻加，仍能運糧回鄉接濟，其險阻艱苦可知矣。

香港淪陷，其休解救中國要人與國際人士脫險

一九四一年十二月八日，敵方發動太平洋戰爭，香港淪陷，當時本國政府要員，及盟國人士，因事起倉卒，多有不及走避者，困於港島，如處樊籠。其休乃從戰地趕至澳門坐鎮，處理貨運及救濟事宜，更運用潛力，暗中聯絡營救，計由香港脫險逃至澳門者，含中國要人及其家屬約千餘人，國際人士約二百餘人〔伍註〕人數太多，姓名從略。，均由趙其休派人

護送至自由區，轉交政府救濟站，國人則遣返原籍，而國際人士則護送國外。〔伍註〕中國要人及家屬與國際人士等，均用武裝護送，避免敵偽截獲之危險，幾經迂迴繞道偷渡，始克安全到達自由區。

香港難民滯澳，其休施援

其時，香港尚有來自各省各縣的中國難民二萬餘人，由港逃出，滯留澳門，無食無衣，更乏旅費，無法返回原籍。其休惻焉憫之，乃邀集澳門紳商劉敘堂〔伍註〕前外交部次長劉鍇之父。、高可寧、劉伯盈、黃豫樵、葉子如等，設立「協助難民回鄉委員會」，共籌得港幣百餘萬元，即行展開救濟工作，設法資遣難民回鄉，人數眾多，辦理經年。此種遣送艱鉅工作，其休負責執行，每隔二、三天，祗能遣送三、四百名，雖不必用武裝護送，亦不須偷渡，〔伍註〕因當時敵偽知民憤難平，假作仁慈，默許難民回鄉，不加滋擾，以圖和緩羣眾仇日之惡感。但運送之配套裝備不足，護送時日長久，與夫工作之繁瑣，各難民籍貫的程途遠近不同，皆須選派要員，分批率領難民，依其原籍之目的地，護送至自由區，交給地方政府所設之救濟站，方蕆〔伍註〕音闡，完成。其事，非咄嗟可立辦，其煩難可知矣。

奔波兩廣、穿梭港澳，為國馳驅

其休奔波往來於戰區，致力於貨運物資糧食，處理救濟及遣送外國人士，有關事工安排妥當後，旋回四邑調集隊伍，向敵僞駐防古井各鄉之部隊反攻，尚幸將士用命，奮不顧身，克敵致果，完成使命，作戰三日，遂將古井各鄉克復。

此時爲聯絡便利，及配合工作起見，其休每年必分赴廣東韶關（伍註）七戰區長官所在地。及廣西柳州（伍註）四戰區長官部所在地。數次，或面商作戰計劃，或請發彈藥，屢有接洽，聯絡緊密，承兩戰區司令長官張發奎、余漢謀兩將軍，委其休爲少將參議，以便隨時洽商。四戰區張發奎司令，更因港澳四邑情報，乏妥人主持，乃派員隨其休回澳門，設佈線眼，隨時將採集所得的可靠情報作出報告，嗣爲配合盟軍反攻大計。

時戰火已蔓延四邑及南路各縣，義軍因戰線擴展，增編爲七個大隊，除原有鍾炎如、葉柏生、高勤三大隊外，新加入趙士濃、趙不驚、黃祥、馬警泉等四大隊，連同特種部隊、炮隊、武裝船隊，人數由三千而增至七千餘人，仍由趙其休統籌與自給，萬眾一心，頓成勁旅，加以各縣羣眾合作，政府軍隊緊密聯繫，水陸兩路，經歷大小戰役百餘次，屢予敵軍以重創。此時作戰範圍，已由本縣新會，伸延至鄰縣台山、開平、恩平各處，大小戰役太多，不勝枚舉。

其休智勇兼備的抗日事蹟

茲略述其饒有意義，而足以表現其休智勇兼備之特點者，摘列於后：

（一）當倭寇計畫分路進攻廣西及湖南，其側面一路敵軍數千人，由新會銀州湖橫嶺登陸，欲經台山而過恩平出肇慶，以達直趨廣西梧州之企圖。倭寇開始行動時，其登陸地點，適爲本部〔伍註〕司令部。二個大隊所防守處，大隊遂與敵軍搏戰一晝夜，敵不得逞。迨大隊經徹夜奮戰未眠，宜休息換班，交由縣政府之縣兵接防，繼續應戰。豈料縣兵接戰後，僅半小時，即被敵軍攻入。因該處爲縣政府及糧倉所在地，本部決難坐視，於是其休率隊向敵猛攻，卒將橫嶺及六區、七區收復，糧倉亦獲保全。至數日後，召回縣政府人員駐防，維持秩序。

（二）敵酋率領僞華南總司令歐大慶所部，配合日艦由海道直趨三埠，向臺山及開平兩縣進軍。三埠、台城相繼陷敵，水西鄉〔伍註〕即朱暉日司令之家鄉。地處三埠與台城之中站，爲敵僞軍船艇常經之地，我軍予以截擊。駐台山城之敵酋，聞報大怒，下令「派大隊日軍要將水西鄉焚殺，凡十六歲以上之鄉民，不論男女，概行殺絕」。水西鄉鄉民正徬徨間，幸我軍派出一大隊人馬及時趕到，將屠鄉之敵軍擊退，全鄉獲救，認爲勇冠當時。

（三）義軍奉命派出所轄三個大隊，會同政府軍，參加反攻台山縣城行動，展開激戰，自晨至午，由義軍大隊長趙士濃〔伍註〕士濃是其休嫡姪，在武漢第二軍校曾受軍訓。率隊先行攻入，收復台城，當時推爲首功。

（四）台城既復，旋奉令派出四個大隊義軍，協同政府軍進攻三埠〔伍註〕狄海、新昌、長沙。狄海、新昌屬台山縣轄境，長沙埠屬開平縣轄境。將敵軍包圍數月，仍未攻下，敵懾於我軍英勇，乃用圍魏救趙之法，飭令僞華南軍總司令歐大慶，嗾使駐中山僞軍司令黃球仔，攜千餘萬元鉅款，運動珠江區全部土匪數千人，隨同日正規軍一隊，向新會縣政府所在地之七區進攻，〔伍註〕該區纔經義軍收復，交縣政府防守。意料義軍必救鄉心切，回師新會，以爲可解三埠敵軍被困之圍。

當時廣陽指揮部，設於開平赤坎，該部指揮官李江，召集游擊司令周漢鈴，行政專員兼保安司令黃秉勛，黨專員馮鎬等召開軍事會議，籌劃應敵之策，咸以三埠爲敵主力所駐，各部隊正負責圍攻中，勢難抽調勁旅，以馳救新會，恐義軍調離三埠，即中敵人圍魏救趙之陰謀。但新會危急，又不能不救，李指揮官乃派馮鎬、周漢鈴啣命來見其休，請求設法往救新會，其休因所部均在前線，正與敵搏戰之際，無兵可調，遂偕馮鎬等同見李江，說明苦衷。惟李江既不肯派兵給其休隨行，而又堅要其休馳援新會，此屬最不合理之要求，本可拒絕。其休轉念自己辛苦收復之七區，若不設法急救，將必再陷於敵，且影響我方圍攻三埠之軍心。假若我軍在前線傳聞新會七區陷敵，軍心必受牽動，難免功敗垂成，遂勉允其請。李江祇派出秘書關宇定隨其休趕返新會坐鎮。返抵後，其休乃急調原駐防古兜山之一小隊武裝義軍，在七區成立臨時指揮部。因偵知僞軍司令黃球仔，係中山白蕉鄉人，素畏三江趙氏強悍，乃運用潛在之影響力，派人警告黃球仔，如他膽敢供敵利用，以危害我新會，將來嚴重後果，伊要負其全責，難免三江傾全力向白蕉報復。黃球仔知其休已回七區坐鎭，不敢正面爲敵，乃將已策動之土匪，遣回珠江各地，新會之圍遂解。而黃球仔則無法向僞軍總司令交代，不敢回三埠，將伊所部之數百僞軍，帶彼逃往別處。其休見新會七區，已轉危爲安，遂將臨時指揮部結束。

其休以「反威脅」之計卻敵，而獲奇蹟。其料敵必中，與諸葛亮之空城計相彷彿，非平素有服人之道不爲功，他人曷克臻此！其勇識力有如此者。

（五）當敵軍經四邑入西江直趨廣西時，義軍奉令跟踪追擊，至恩平縣聖堂墟附近，與敵軍遭遇，猛予截擊，敵畏義軍凌厲善戰，繞道以避。義軍既阻延敵人進展，又克保恩平數十鄉之安全，免受蹂躪。聖堂墟爲省參議員吳質民之家鄉，吳氏常述義軍抗敵始末，以表達鄉民感戴之情，義軍抗敵壯舉，戰後猶口碑載道焉。

（六）在抗戰末期，敵艦常被盟機轟炸，不敢如前之瘋狂蠢動，正是我武裝船隊活躍之良機，於一九四四年孟冬，在陽江海面，敵之小型兵艦，與我船隊遭遇，被我船隊圍攻，擊沉一艘，該艦沉沒時，恐爲我方殲滅，急豎白旗投降，我船隊遂將艦上數十官兵俘虜，解回基地。因俘虜中有敵方三名重要人物，旋有敵快艇載來使名趙灼者，求見其休，願以一億元巨款，贖回此三人。其休嚴詞拒絕，即招集所部宣稱：「若准敵人以款贖命，私行釋放，是爲對國不忠；若收款而不放人，是爲無信；苟得其財，是爲不義：不忠、無信、不義，吾人均不願爲，自應將俘虜解交政府處理，但現在韶關，（伍註）七戰區長官所在地。柳州，（伍註）四戰區長官部所在地。均已淪陷，交通中斷，無法解往。若囚於基地，敵必大舉來犯，志在搶俘，引起劇戰，後患堪虞。惟有當機立斷，將日俘全部槍決，以絕其覬覦之念，且可爲我被害之國人雪恥復仇，又可「以寒敵膽」，義軍袍澤，眾議僉同，其休即毅然執行將日俘處決。稍後，將其重要人物三人首級，罐封呈交政府，蒙頒獎萬元，以示嘉勉。

（七）我武裝船隊，常僞裝爲漁船貨船，在海上截擊敵船，奪其物資糧食，以挹注義軍之需要，曾在澳門海外，被我武裝快船名「岳飛」者，以口徑一二〇毫米的大炮，將敵人鐵拖船隊之指揮艦擊沉，先掠其武器物資，然後徹底解決，全艦人員均溺斃，祇艦長窪田一人帶傷逃去。嗣後敵之空軍，因被盟機威脅，不敢活動。而敵之艦艇，失去空軍掩護之優勢，使我武裝船隊減少威脅，並加強在內河及公海上之活躍活動，且隨時利用地形之熟悉，與各縣各鄉羣眾擁護之便利，常對羣敵艦艇予以重創。此種現象，以後續發生多次重創敵艦奇績，尤爲難能！無怪敵人聞風而顫慄也。

（八）自廣州珠江區陷後，凡由港澳欲回自由區者，均經敵人封鎖線，跬步難行，土匪更乘機劫擄。當時有升學僑生二十名，途經中山縣涌地面，被匪首陳進率匪擄去。又蔣光鼐副司令長官之表姪黃潘，及中央社記者挈眷由澳門水路，欲返台山都斛鄉，途經中山沙美海面，被匪首黃厚率匪擄去。嗣由長官部及省政府通令廣陽指揮部，命令七游擊司令、及一區行政專員所轄各縣，著即派隊起擄。奈因土匪等將被擄者囚於毗鄰敵軍附近，我政府軍若派隊起擄，難免驚動敵軍，惹起大戰，因而投鼠忌器，任匪猖獗。政府當局，乃轉而商於其休，請爲設法。其休慨然引爲己任，分用軟硬兼施之法。因匪首陳進，屬新會人，乃運用其影響力，向匪鄉之首長警告，限其即日將被擄者全部送至三埠，以便轉解韶關。匪鄉首長懾於其休之聲威，本可服從照辦，但匪首黃厚，屬中山人，不受警告，迫而偵悉其臥巢所在，作掃穴犂庭之舉，派勁旅奇襲，起回被擄者，焚其匪巢，絕其後患。由是各縣強徒，聞其休之名而喪膽矣。

經過多年來事實表現，其休任勞任怨，自籌自給，以跳火坑之勇氣，出任艱鉅；以大無畏之精神，克服困難；處事一秉至公，抗倭義無反顧，雖因詐降而遭謗，終則殺敵以明志，地方倚爲砥柱，政府視爲干城。當盟軍籌劃反攻之時，正南路需人負責之際，於是四戰區司令長官張發奎將軍，因事擇人，擬請其休爲南海〔伍註〕此南海，是接近太平洋之南海，而非南海縣也。指揮官，率所屬各部隊，調往南路作戰，情意懇切，爲國求賢，共濟艱難，以配合盟軍反攻華南之作戰計劃，意本善也。惟其休之不能出任斯職，確有其苦衷，及充分理由者，因其休此次領導子弟兵抗戰，完全出於民族大義所激動，本乎國父勉人「做大事，不做大官」之名言，故以「不需政府津貼，不要地方捐輸」爲原則，非藉民眾武力以圖富貴也。若出任新職，不但違反初衷，而且遠離鄉井，厓門交通線必不保，更無法藉運載農糧以自給。顧此失彼，殊非計之得者。當時朱暉日副司令在座，亦向張長官進言：「若調其休爲南路指揮官，等於放棄四邑一線之作戰力量，此線動搖，影響甚大，一旦南路之門戶洞開，何異自撤藩籬，不如仍舊由其休負責保持四邑戰線，以掩護南路爲宜。」張長官亦以爲然，調往南路之議遂寢。

準此以觀，足見其休之志，在乎義不在乎名也。於是其休仍本初衷在四邑苦幹，以至日軍投降，解甲歸田，遣散各隊，抗日工作，始告一段落。其休平素「爲社會造福，爲群眾服務」之一貫精神，則至今數十年如一日者也。稱爲義士也、固宜！

一九四五年八月三日，中美英蘇四國聯合菠茨坦議決宣言，要日本無條件投降，日方無反應，嗣於八月六日，美空軍投原子彈於廣島，八日蘇聯向日本宣戰，九日進兵東北，同日，美空軍在長崎再投原子彈，日人死傷慘重，朝野震慄，十四日接受菠茨坦宣言，十五日日本天皇正式宣佈無條件投降。我國抗戰八年又三十八日，艱苦阽危，犧牲慘烈，卒獲最後勝利，宣佈復員。三江全鄉，舉行追悼大會，以慰歷次殉難軍民之幽靈，全鄉茹素，心情肅穆，各方致祭者眾，擇錄兩聯於后：

毋忝於國，毋忝於宗，兩代河山留正氣；不屈於元，不屈於日，三江風月弔忠魂。

廣東行營主任張發奎敬輓

猾夏痛當年，嶺表勤王餘一脈；殲倭快此日，厓山死士有三千。

廣東省參議會議長林翼中敬輓

迨一九五二年香港政府通知趙其休氏，到總督府接受英皇佐治六世「自由勇敢勳章」The King's Medal For Courage In The Cause Of Freedom以紀其休於香港淪陷時搶救國際人士之殊勳。〔伍註〕見香港《華僑日報》所編一九六四年《香港年鑑》第十編第六十四頁人名辭典中。以中國人而受此殊榮之勳章者，以其休爲第一人。在英國人得此種「自由勇敢勳章」者，亦不過數十人耳。〔伍註〕此趙冰之所知也。至於因其休在戰時搶救中國要人及其家屬，戰後則有李宗仁白崇禧將軍等致送銀鼎，鐫鏤其事，以紀其功。〔伍註〕此為伍百年趙冰所目睹也。類此者，不勝枚舉，姑不縷述。

其休現僑居香港，年屆古稀，而精神矍鑠，爲社會群眾服務，排難解紛，興學育才，不遺餘力，識與不識，均知其「持正義而能助人」者也。

結論

夫必有非常之人，然後能應非常之變，治非常之事，建非常之功，而能人之所不能，爲人之所難爲者，儒家所謂「眞能有爲」也。功成身退，而不求榮祿者，老子所謂「爲而不有」也。中日事變，非常之變也；抗日戰事，非常之事也；殲敵殊功，非常之功也。若非智勇兼備，人地兩宜，德威相濟，曷克臻此。縱屬權高勢大之儔，自命不凡之輩，處此艱虞之境，亦不足以語此也。而趙氏其休，以匹夫崛起民間，知興亡之有責，伸民族之大義，出任艱鉅，領導羣倫，以議戰守；驟攖敵鋒，而得人之死力，以奏膚功；可知眾望之所歸，人所難能也，其難一。

以自籌自給，歷久不懈，既不靠政府給養，亦不需地方捐輸，屢殲敵而不驕，遭挫折而不餒，其志堅力毅而氣雄，人所難及也，其難二。

以寡敵眾，弱敵強，劣敵優，形勢懸殊，而克保四邑南路與港澳之交通。除作戰外，尚能搶救中外人士，及運糧供應民食，人所難爲也，其難三。

以策動三江一鄉之民眾，迭挫強敵，焦土抗戰，犧牲慘重，而人無怨言，士有鬥志。中經誘降而不屈，乘機出奇以制勝；遭受誣謗而不懼，卒因殲敵以明志，從而眞相大白，輿論翕然。但在受謗時，本爲民族之英雄，誣爲投敵之漢奸，而能處之泰然，人所難堪也，其難四。

所屬民兵，非同正規軍可以軍法約束者，祇憑大義精誠維繫之耳。惟一鼓作氣易，持久抗戰難，而能前仆後繼，支撐危局至八年之久，人所難得行也，其難五。

有此五難，豈人所能企及哉！邑之君子曰：「三江趙其休等，議戰守以抗強敵，與明末東莞之袁崇煥同；率民兵以紓國難，與清季湘鄉之曾國藩同。」余曰：事雖同而情勢迥異也！袁崇煥於明思宗時〔伍註〕思宗即崇禎帝。，以兵部尚書，出任邊帥，督師薊遼，受思宗知遇之恩，職責所在，其議戰守也，固宜。曾國藩以清季翰林丁憂，回籍守制，值洪楊起義金田，縱橫粵桂，飲馬長江，建都金陵，分擾湘鄂，威震燕京，國藩奉旨起復，墨絰從戎，率湘勇勤王，以紓國難，份所應爾。不過，曾氏義則帝秦，忠於滿清，情同虎倀，是功是罪？史家自有定論。彼袁曾二人，奉命興師，出於被動，給養募兵，朝廷負責，爵祿獎賞，效命有人，軍法約束，威尊命賤，後援補充，不虞匱乏，身爲統帥，權高勢大，得人多助，便可圖功，應付恰當，便可優爲。而三江趙氏，以一鄉而議戰守，開民間抗日之先例，以一隅而挫強敵，創殲倭戰史之紀元；以一人而兼統籌，歷八年苦鬥之終局；以自動而紓國難，樹民族大義之楷模；以自我而作犧牲，行焦土抗戰之國策；以自信而動羣倫，堅志士仁人之鬥志。綜其所爲，與袁曾相較，孰難孰易，不待智者而明矣。

以袁而論，雖因議戰守而爲滿酋所嫉，明帝不察，中滿酋離間之計，聽讒而殺袁，使袁賫恨以歿，國土終淪，大勢崩潰，情固堪悲，功則何有？以曾而論，雖率三湘子弟，以紓國難，然對太平天國內戰，戈操同室，民族之大義已虧！且出於被動，奉旨興師，有所憑藉，先哲所謂「順風而呼，聲非加疾其勢亟也」。曾既有勢可憑，有權可使，有法可循，縱能奏功，等於順風而呼，亦非難爲。清史雖稱之爲「中興名臣」，然就民族立場言之，不啻爲異族鷹犬。依春秋之大義，嚴華夷之大防，凡忠於異族者，即爲漢族之罪人，與義軍之對外抗戰，更不可同日而語。蓋難易順逆之情與勢均異也，曷足稱焉。抑尤有進者，袁縱未成功，但已成仁，仍不失爲忠君愛國之人傑，名足垂於後世。至曾則以大儒而自命不凡，而竟靦顏事清，及時掌握重兵，而不及時反正復漢，且當太平天國軍，將渡黃河搗幽燕之際，曾則攻其後方，擊其要害，絕其生機，使民族革命之大業，功敗垂成。此日重提，猶有慚於異代，春秋責帥，豈無愧於幽途？又焉足與義軍相提並論哉！

可知三江趙氏之自動興師，以議戰守，以紓國難，足爲漢族爭光，更爲後人示範，事實昭然，信而有徵。觀乎中外人士之口碑，本國要人之題贈，與夫英皇之致送勳章，僑報之年鑑紀錄，皆可爲本文紀實之證明。是則揚善無分中外，公道自在人心，良有以也。

逸廬詩詞文集鈔註釋

文化生活叢書 伍百年作品集1301A02

作　者　伍百年　　責任編輯　張晏瑞
編　註　方滿錦　　實習編輯　尤汶萱、沈尚立、林婉菁
發行人　林慶彰　　徐宣瑄、章楷治、許雅宣
總經理　梁錦興　　陳思翰、陳相誼、謝宜庭
總編輯　張晏瑞　　封面設計　陳薈茗
出　版　萬卷樓圖書股份有限公司　　印　刷　百通科技股份有限公司
發　行　萬卷樓圖書股份有限公司
臺北市羅斯福路二段四十一號六樓之三
電話 (02)23216565　傳真 (02)23218698
香港經銷　香港聯合書刊物流有限公司
電話 (852)21502100
傳真 (852)23560735
ISBN　978-986-478-828-6
出版日期　二〇二三年四月初版一刷
定　價　新臺幣一六〇〇元（全三冊，不分售）

逸廬文存

逸廬詩詞文集鈔註釋

國家圖書館出版品預行編目資料

逸廬詩詞文集鈔註釋 / 伍百年著；方滿錦編註.
-- 初版 . -- 臺北市：萬卷樓圖書股份有限公司,
2023.04
冊；　公分.--（文化生活叢書．伍百年作品集；1301A02）
ISBN 978-986-478-828-6（全套：平裝）
848.7　　112005353

本書為臺灣師範大學國文學系2022年度「出版實務產業實習」課程成果。部分編輯工作，由課程學生參與實習。

逸廬文存

逸廬詩詞文集鈔註釋